Aloka Liefrink

VERWEESD

© 2010 – Aloka Liefrink & Uitgeverij Vrijdag
Sint-Elisabethstraat 38a – 2060 Antwerpen
www.uitgeverijvrijdag.be

Gelijkenis met bestaande personen berust op toeval.

Omslagontwerp: Studio Mulder van Meurs, Amsterdam
Foto voorplat: Benny De Grove
Vormgeving: theSWitch, Antwerpen

NUR 402
ISBN 978 94 6001 064 4
D/2010/11.676/78

Proloog

'Dit moet een vergissing zijn.'

Ik kan nog altijd niet geloven wat me is overkomen tijdens mijn reis naar Panaji, de stad in Zuid-India waar ik werd gevonden. Ik wilde niet op zoek gaan naar familieleden. Dat kon ook niet volgens de luttele gegevens die over mijn leven bestonden. Wel was ik benieuwd naar de gewoonten, de mensen en de omgeving vol geuren en kleuren.

De ontdekking die ik er deed, schudde mijn leven volledig door elkaar, maar heeft van mij een bewuster en completer mens gemaakt.

Juli 2007

Ik ben net vierentwintig geworden en helemaal klaar om terug naar Panaji te gaan. Althans, dat denk ik toch. Ik kan niet goed inschatten hoe het er precies zal zijn, maar ik daver alvast van de nieuwsgierigheid. Ik wil Panaji gezien hebben, niet zozeer om familieleden te gaan opzoeken. Ik heb nauwelijks gegevens over hen. Of toch, het enige wat ik echt weet is dat mijn moeder dood is. Dat ben ik onlangs te weten gekomen via het adoptiebureau. Ik werd door een Nederlands echtpaar geadopteerd toen ik dertien maanden was. Van de twee maanden die ik bij mijn echte familieleden heb doorgebracht, kan ik me natuurlijk niets meer herinneren, net zomin als van de elf maanden in het weeshuis.

Ik wil dat weeshuis opzoeken. Ik weet niet zo goed waarom, maar de drang is onverklaarbaar dwingend. Bij het inpakken van mijn koffer neem ik mijn adoptiemapje bij de hand. Als ik het weeshuis wil opzoeken, dan moet dat immers ook mee. Het vermeldt het adres en de naam van de zuster die me al die tijd voornamelijk onder haar hoede heeft genomen.

Ik wil die vrouw terugzien. Zou ze nog in leven zijn? Ik bekijk haar foto van dichterbij, en ga op zoek naar enige herinnering. Tevergeefs. Op de foto heeft ze mij als baby op de arm. Het valt me op dat ze een zachtaardige uitstraling heeft. Ze heeft een donkerder huid dan ik. Verder lees ik iets onduidelijks over een hartafwijking. Ik zou een veel te traag hartritme hebben gehad. Daar heeft mijn adoptiemoeder me wel eens wat over verteld. Ze zegt me vaak dat het 'een wonder' is dat ik die afwijking heb overleefd. Zelfs nadat ik in Nederland aankwam, lag ik nog drie volle maanden in het ziekenhuis.

Ik lees over 'Berlinda'. Dat moet een naamverwarring zijn, denk ik, want mijn naam in het weeshuis was immers 'Joy'. Mijn adoptieouders hebben die veranderd, ze vonden dat een Indiase naam mijn herkomst zou onderstrepen. Ze noemden mij 'Priyanka,' wat 'diegene van wie het meest wordt gehouden' betekent. Die naam kreeg ik, meer nog omdat ik enig kind ben gebleven.

Het is half juli. De ochtendzon priemt behaaglijk op mijn huid. Ik verbrand zelden want mijn lichtbruine huidskleur biedt een automatische bescherming. Het seizoen is niet ideaal om naar Zuid-India te reizen, want in de zomermaanden is het er broeierig heet. Bovendien heerst er in deze periode een overweldigende toeristische drukte. Maar we moeten nú wel gaan, want in september begin ik met mijn eerste baan. Ik word communicatiemedewerkster voor een groot tijdschrift.

Overmorgen, om dit uur, staan we in de volle Indiase zon. Mijn moeder is de hele week druk bezig geweest met het pakken van de koffers. Ze lijkt zenuwachtiger dan ikzelf. Mijn vader wekt eerder een nuchtere indruk; hij laat nooit veel emotie zien.

Het is erg druk op de luchthaven van Schiphol. Ik erger me aan mensen die in alle gehaastheid tegen me aan lopen (Ik ben niet groot, maar dat betekent niet dat ze me zomaar omver hoeven te lopen.) Het wachten lijkt uren te duren. Ik kan mijn aandacht maar moeilijk bij de tijdschriften houden die ik net heb gekocht. Mijn moeder voelt dat ik ongeduldig word en legt haar hand eventjes krachtig om mijn schouders heen. De band die ik met haar heb, kan ik met geen enkele andere vrouw zó beleven, ze is immers mijn moeder.

We landen exact op tijd in Chennai. Ook hier slaat de drukte me om de oren terwijl we de luchthaven uit lopen. Auto's en bussen rijden kriskras door elkaar op de grote autowegen. Ik zie voor het eerst auto's op drie wielen. Fietsers rijden ongeordend tussen de veelgekleurde wagens door. Aan sommige verfomfaaide balkonnetjes zie ik fel gekleurde doeken wapperen. Ik stop mijn oren dicht, maar ik hoor het scherpe getoeter door mijn afgesloten oren heen. Het krioelende verkeer, het gekwetter van de verkopers en het gejammer van kinderen is oorverdovend. Mijn vader, die de reis zorgvuldig heeft uitgestippeld, vertelt ons dat we de taxi naar Miramar moeten nemen. Miramar is maar drie kilometer verwijderd van Panaji: de plaats waar ik werd afgegeven.

Panaji staat bekend om zijn kledingindustrie, vanwege de vele katoenplantages, en ook voor de koffie- en theeplantages. In de staat Goa zie je veel Portugese invloeden. Portugal was het eerste Europese land dat India bereikte. Dat merk je overal aan de bouwstijl van cafeetjes en kerken en de overhangende balkons.

De taxi stopt aan ons hotel. Het gebouw, ook in Portugese stijl opgetrokken, bevindt zich vlak bij het uitgestrekte strand met wit zand. Ik kan niet geloven dat ik in zo'n paradijselijk gebied ben geboren. In de hal van het hotel kijk ik mijn ogen uit bij het zien van de handgeknoopte wandtapijten. De typische sitarmuziek doet mijn denken verstillen. De bevallige receptioniste, in traditionele sari, wijst ons onze kamers en overhandigt de sleutels. Terwijl ik op het bed in mijn hotelkamer zit, probeer ik heel even de armoede te vergeten die ik daarstraks in de taxi heb gezien. Maar het is moeilijk om niet meer te denken aan de mensen die op oude kartonnen dozen slapen, of om de bedelende kinderen die met smekende ogen op het autoraampje tikten te vergeten.

De televisie, de moderne lampen en het comfortabele bed vol kussens bezorgen me een schuldgevoel. Waarom heb ik, uit zoveel hulpeloze mensen, de kans gekregen op overleving in het Westen? Waarom mag ik, ook naar westerse normen, baden in luxe? Ik probeer niet te denken en wacht op een welkome slaap.

Ik heb besloten om het weeshuis pas aan het einde van de reis te bezoeken. Op die manier kan ik eerst de omgeving intens beleven. Het voelt raar om mijn geboorteomgeving onder mijn voeten te voelen. Misschien stap ik in de sporen van zussen of broers? Of van mijn vader? Ik onderdruk de vragen.

We bezoeken kerken, gebouwen, maken lange strandwandelingen. Een markt grijpt me mateloos aan: arme mensen die op de grond zitten te bedelen, rijke toeristen die zich overladen met delicatessen, huilende kinderen, mankende kinderen. Het zoete aroma van exotisch fruit. Mooie kleurrijke sari's in felrood, oranje, geel en azuurblauw hangen uitgestald aan de kraampjes, wapperend in de wind. Ik kijk mijn ogen uit bij vers bereide gerechten. Zoveel soorten verse thee, elk met een eigen geneeskrachtige werking. Ik zie een jong tienermeisje, vermoedelijk een jonge prostituee. Haar gezicht zit vol blauwrode plekken en ze loopt met manke pas. De zwarte kohlstrepen op haar wangen verraden dat ze nog maar pas moet hebben gehuild. In een reflex loop ik naar haar en leg mijn arm om haar heen. Ze kijkt schichtig op en zet het op een rennen.

Ik had me er wel op voorbereid dat het intens zou worden. Maar dit? De vele bezigheden zorgen ervoor dat de tijd sneller gaat dan ik had verwacht.

Uiteindelijk gaan we naar het weeshuis. Ik ben blij dat mijn ouders me vergezellen. Al ben ik volwassen, toch heb ik ze op deze momenten erg nodig. In de taxi voel ik hoe het adoptiemapje in mijn handen brandt. Mijn vingers trillen onbedaarlijk. Ik ben bang dat ik het mapje bij het uitstappen uit mijn handen zal laten vallen. De gevel van het weeshuis in een verwaarloosde zandweg is vuilwit. Kinderen, in leeftijd variërend van twee tot twaalf, spelen in de voortuin van het verfomfaaide gebouw. De grotere kinderen ontfermen zich over de kleinere kinderen. Opnieuw besef ik hoe tevreden ik mezelf mag prijzen. De kleuren van de stad die we tijdens de afgelopen dagen hebben bezocht, vervagen onmiddellijk. Ik word overmeesterd door ontroering wanneer ik de kleine kinderen kriskras zie rondrennen op het lemen pad voor het weeshuis.

Ik kijk even opzij en zie dat ook mijn moeder de tranen in de ogen krijgt. Ze vertelt me dat ze iedereen zou willen adopteren. Ik begrijp haar, maar word terzelfder tijd overvallen door de onmogelijkheid van wens. Zelfs mijn vader lijkt erg onder de indruk. Ik zie hem een beetje verder gehurkt spelen met twee kinderen van een jaar of tien. Het leemzand kraakt onder mijn sandalen. Ik ben blij dat ik me in een sari heb gehuld, want zo val ik niet te erg op in de massa. Mijn ouders zijn erg bezorgd, ze vragen voortdurend of ik sterk genoeg ben om deze ervaring aan te gaan. Ja, ik wil het, meer dan ooit.

Op het pleintje voor het gebouw lopen kinderen in het rond. Op een bankje houden enkele zusters de kinderen nauwlettend in de gaten. Zou zuster Christina erbij zitten? Ik maak aanstalten om het te gaan vragen, maar mijn voeten lijken wel loden blokken die ik door het zand meesleep.

'Hallo, ik ben op zoek naar zuster Christina,' zeg ik.

Een zuster antwoordt dat Christina te oud is om nog te werken, maar blijkbaar woont ze een eindje verderop. Ik leg uit dat ik een van haar 'kinderen' ben, en dat ik haar graag terug wil zien. Een van de jongere zusters leidt ons naar een klein lemen huisje en klopt op de deur. Het lijkt minuten te duren voor die een beetje opengaat. Ik zie nog niemand verschijnen. De zuster legt in het Hindi uit dat ik een van 'de kinderen' ben. Dan gaat de deur verder open. Ik herken de oude vrouw niet meteen als de zuster Christina van op de foto. Wellicht is ze veel ouder dan ik ze me had voorgesteld. Haar haar zit onder een verzorgde, donkerblauwe kap. Vermoedelijk zijn ze grijs. Ze loopt wat voorover gebogen. Haar handen trillen terwijl ze een geïmproviseerde stok, gemaakt van een oude tak, vastklemt.

'Zuster Christina?' Ik ben gebiologeerd door de ontdekking.

'Ja,' zegt ze, terwijl ze me vriendelijk en doordringend monstert. Ze kijkt afwisselend naar mij en mijn ouders. Mijn ouders zien er met hun spijkerbroeken en met hun blonde haar erg westers uit.

'Ik heet Pryianka en jij hebt mij de eerste elf maanden van mijn leven verzorgd,' hoor ik mezelf stamelen.

'Joy?' Haar stem kraakt.

Hoe weet ze mijn oude naam?

Ik kijk verschrikt naar mijn ouders. Ze doen teken dat ze een wandelingetje gaan maken.

'Joy?' herhaal ik ongelovig. Maar hoeveel hulpeloze kinderen met die naam zijn er niet door haar inmiddels oude, trillende handen gegaan? Zuster Christina richt haar blik op mijn voeten. Vindt ze mijn westerse sandalen intrigerend? Zou ik ze haar schenken?

'Kom mee, Joy,' gebaart ze naar het bankje vlak bij de voordeur.

Ze zou vast iedereen Joy noemen, toch…

Ik ga naast haar zitten op het bankje.

'Heb jij een geboortevlekje op die hiel van je rechtervoet?' Haar Engels klinkt verrassend verstaanbaar. Ik kijk op en trek mijn rechtersandaal uit. Ze vraagt me om mijn voet even op haar schoot te leggen. Ze plooit mijn enkel zodat mijn hiel zichtbaar wordt. Ze lijkt die minutenlang te inspecteren, maar in werkelijkheid gaan er maar enkele seconden voorbij.

'Daar,' zegt ze plots, 'daar!'

Ze legt haar duim linksonder, op mijn rechterhiel, op het bruine vlekje, waar ik nooit eerder aandacht heb besteed. Ze streelt het alsof ze een porseleinen bord koestert. Wat is er zo speciaal aan die hiel?

'Ja, Joy. Jij bent dé Joy…' kreunt ze met een oude, versleten stem. 'De Joy die ik nooit ben vergeten.'

'Mijn naam was inderdaad Joy.'

'Ik ken jou.' Ze klopt met haar oude handen vastberaden op haar beide knieën. Ik zet mijn voet weer neer.

'Hoe bedoelt u?'

'Je leed aan een hartafwijking die levensbedreigend was. Ik kan niet geloven dat je naast me zit!'

Misschien waren er wel meer kinderen die Joy heetten en een hartafwijking hadden, maar als ik een uit de zovelen was, dan kon de zuster toch onmogelijk weten dat ik een geboortevlekje had op mijn rechterhiel? De steek in mijn linkerborstkas herinnert me eraan dat ik ben vergeten te ademen.

'Ik heb meer dan zestig jaar in dit weeshuis gewerkt, maar ik ben heel zeker dat ik me jou herinner.' Haar hand streelt een voorbijslenterende zwarte zwerfkat.

'Berlinda en Joy...' Ze fluistert het meer tegen de kat dan tegen mij.

'Berlinda?' vraag ik nieuwsgierig. De naam in het adoptiemapje.

'Berlinda. Jouw zusje.'

'Zusje?' Mijn borstkas doet pijn terwijl ik het zeg. Ze legt haar hand op haar mond, alsof ze de woorden terug wil nemen.

'Maar wat...' Ik merk dat mijn stem weg deint.

Het wordt bevreemdend stil. Ik registreer enkel nog silhouetten van voorbij rennende kinderen.

'Kijk, Joy...' Christina pauzeert even. 'Ik kan het je maar beter nu vertellen. Ik mag niet zomaar informatie vrijgeven. We hebben immers een akkoord gesloten met jouw adoptievereniging. We hebben beloofd dat we niets over de achtergrond meegeven aan de ouders of aan het kind zelf.'

'Maar wat... Een zusje?' Ik wil helemaal niets horen over regels van een adoptieorganisatie!

'Er is me verteld dat ik niet zo lang meer leef. Ik heb zoveel kinderen gekend. Maar jij en Berlinda, voor mij waren jullie anders. Ik ben jullie nooit meer vergeten.'

'Waarom?'

'Je was zeer zwak. Over Berlinda maakte ik me minder zorgen. Ik bracht haar naar mijn collega voor verdere zorgen. Jij was zo frêle dat ik haast bang was om je dood te knijpen. Je ademde moeizaam. Het leek alsof je pijn had, maar ik kon de pijn niet duiden. Je huilde langgerekt. Het was hartverscheurend! Ik dacht dat je een trauma had opgelopen omdat je moeder je had afgestaan.'

Ze staart even voor zich uit en gaat dan verder: 'Maar op de een of andere manier voelde ik dat er met jou wat anders aan de hand was. Ik raadpleegde onze arts. Hij vertelde me dat je aan een ernstige hartafwijking leed. Die had je vermoedelijk opgelopen door een moeizame geboorte. Hij schreef je kruiden voor die je hartritme deden versnellen. Ik was onnoemelijk bang dat je het niet zou redden. Maria legde Berlinda naast jou in het bedje. Jullie waren onafscheidelijk! Ik voelde in veel dingen dat Berlinda met jou verbonden was. Terwijl ze sliep, legde ze haar handje op je linkerborst. Dat deed ze dag na dag, nacht na nacht. Ik ging 's nachts wel eens stiekem naar jullie kijken. Gewoon zomaar. En iedere keer bracht het me tranen in de ogen. Dit beeld is me jaren lang blijven achtervolgen. Ik stond ervan versteld dat je het met die kruiden zo lang volhield.'

Zuster Christina zwijgt even. Ik slik.

'Jullie stonden opgeschreven ter adoptie. Ik heb gepleit om jullie samen te houden, maar ik had bitter weinig te vertellen.'

Zuster Christina wordt opnieuw stil. Voor mij verstilt elk geluid, dat van de spelende kinderen, het gehuil, het gekwetter van voorbijgangers, het stromen van de rivier…

'En toen?'

'Berlinda kwam in België terecht.'

'Zo dichtbij!'

'Ja. Het enige wat ik me herinner is dat een zekere familie Geerink haar heeft geadopteerd.'

'Berlinda Geerink,' zeg ik.

Christina lijkt nog niet klaar te zijn met haar verhaal.

'Toen Berlinda bij je weg werd gehaald, is er iets in jou gebroken. Je huilde dagen en nachten lang. In die periode vocht je harder dan ooit tegen het overdonderende, onregelmatige ritme van je hart. Je at zelfs niets meer. Ik was ontzettend bang dat je het door het verdriet en de ondervoeding niet zou halen. Dag en nacht zat ik bij jou, in de hoop dat je weer wat zou gaan eten. Dat deed je gelukkig na enkele dagen.'

Christina schuurt even met haar sandalen over het leemzand. Mijn verwarde blik volgt haar voet.

'Twee maanden later werd je geadopteerd. Ik leefde in die tijd met een zeer groot innerlijk conflict. Enerzijds was ik zó opgelucht dat je overlevingskansen zouden verhogen, maar aan de andere kant was jouw vertrek een dolksteek recht in mijn hart. Ik besefte toen pas hoezeer ik me aan jullie had gehecht.'

Ik weet niet wat me plots overkomt, maar ik leg mijn hand spontaan op de knie van Christina. Tranen sijpelen op mijn azuurblauwe sari. Ze legt haar hand op mijn handrug en ik voel een onverklaarbare verbondenheid met haar. Ze kijkt me glimlachend aan. 'Joy, ik ben zo blij dat ik jou terug heb gezien. Ik weet nu dat ik met een gerust geweten kan gaan.'

Mijn keel lijkt dichtgeslibd met beton. Ik kan niet meer slikken.

'Beloof me één ding,' vervolgt ze, 'neem de beslissing niet overhaast, doe het pas wanneer jij je er klaar voor voelt. Als je die stap hebt gezet, schrijf me dan een kaartje met jouw naam op, dan weet ik voldoende.'

We kijken naar de kat die zich naast een oude boom zit te likken. De uitgesproken stilte doet me goed. Ik neem pen en papier en schrijf haar adres op. Dit moet een vervolg krijgen.

's Avonds praat ik aan tafel uren met mijn ouders. Ik kan nog altijd niet goed vatten wat ik te weten kwam. Moeder laat meermaals trillend haar vork op haar bord vallen, vader lijkt uit marmer gehouwen. Ze vinden het fantastisch voor me, maar ze zijn tegelijkertijd bang voor de overweldiging die me te wachten staat.

Nog vóór ik mijn koffers thuis heb uitgepakt, begin ik met mijn opzoekingen. Ik kan de gedachte aan Berlinda niet meer van me afschudden. Ik moet mijn zus vinden. Dat wordt haast een obsessie. Hoe zou ze zijn? Hoe ziet ze eruit? Lijken we op elkaar? En vooral: hoe is haar leven al die jaren verlopen? Ik tik www.findaperson.be in.

Zo eenvoudig is het. Ze blijkt een boek te hebben geschreven en heeft zelf een website! Ik gil het haast uit wanneer ik haar foto zie. Ze lijkt sprekend op mij. Iets fijner, en het haar is minder steil. Ik vermoed dat ze een paar jaartjes ouder is, niet veel, want met haar speelse lach ziet ze er piepjong uit.

Zou ik haar schrijven via haar website? Gewoon zeggen wie ik ben? Haar simpelweg melden dat ze een zus heeft? Hoe zou ze reageren? Misschien helemaal niet? Mijn hart lijkt in een vuistgreep te worden gevangen. Ik besluit haar toch maar niet te mailen en ga naar het icoontje 'bestel dit boek'. Eerst wil ik 'lezen' wie ze is en waarover ze schrijft, dan is het vast makkelijker om met haar in contact te komen.

Dagen van klamme spanning volgen. Ik bekijk de brievenbus wel honderd keren en ren de postbode achterna uit angst dat hij het pakket per ongeluk is vergeten af te geven. Precies een week later valt de dikke kartonnen envelop in de brievenbus. Gehaast trek ik het bruine papier open en gooi de envelop onachtzaam op de vloer. Mijn handen trillen terwijl ik het boek in handen houd. De cover voelt haast fluwelig aan. Ik zie een ruwe schets van haar foto. We hebben dezelfde kaaklijn en mond, of is dat maar mijn hoopvolle interpretatie?

Ik sla het boek open en lees: 'Fictie gebaseerd op mijn herinneringen.' Ik sla de pagina om en begin met ingehouden adem aan haar verhaal.

Berlinda Geerink
Verweesd

Woord vooraf

Ik ben geboren in het zuidwesten van India, zo werd mij verteld. Mijn biologische moeder legde mij te vondeling bij het weeshuis waar ik elf maanden verbleef. Ongeveer een jaar later werd ik geadopteerd en vertrok ik naar België.

Het woord 'adoptie' gaat hand in hand met mijn persoonlijkheid. Ik word nog bijna dagelijks geconfronteerd met mijn herkomst. Niet alleen wanneer ik in de spiegel kijk of mijn naam hoor, maar ook door de vragen die me nog zeer vaak worden gesteld. Als ik niet deze huidskleur van melkchocolade had gehad, zou ik voor de buitenwereld ook geen vraagteken zijn. Ik heb er nooit problemen mee gehad om erover te praten. Het is een vaststaand feit in mijn leven. Ik heb het nooit anders geweten.

Ik probeer mijn biologische moeder te begrijpen, al heb ik haar nooit gekend. Ik accepteer dat ze om de een of andere reden niet voor me kon zorgen, bovendien vind ik dat ik niet kan oordelen over de situatie waarin ze leefde. Ik geloof sterk dat het, in sommige gevallen, van meer moederliefde getuigt om een kind los te laten en het een levenskans te geven, dan om het kramp-achtig en in moeilijke omstandigheden bij te houden.

Toen ik twee was, kreeg ik er een adoptiebroer bij, Ranjan, uit het noordoosten van India. Zijn biologische ouders zijn volgens de gegevens van het adoptiebureau omgekomen in een moessonregen. Daarom heeft hij anderhalf jaar in een weeshuis ginds doorgebracht.

Ondanks onze donkere huidskleur en het zwarte haar lijken we niet op elkaar. Het verschil is goed te merken in de kleurtint en in ons gelaat. Hij heeft eerder hoge jukbeenderen, zijn ogen zijn iets meer amandelvormig. Hij heeft ietwat golvend haar, het mijne is erg sluik. We hadden veel aan elkaar in onze prille kinderjaren. De bomen zouden haast zijn gevlucht toen we ze voor de zoveelste maal als klimrek gebruikten. We maakten wel eens de fout om boomhutten te maken met rotte takken, waardoor we met planken en touwen naar beneden donderden.

Mijn ouders leken vaak niet thuis te zijn. Mijn vader was benomen door zijn drukke baan als zelfstandig boekhouder. Moeder had soms een deeltijdse baan als verkoopster in een parfumerie, daarom begreep ik niet waarom we zó vaak naar een onthaalmoeder moesten of werden opgepast. Elke onbezorgdheid hield op toen ik elf was.

2005

'Hou je mond!'

Zijn wijsvinger gaat dreigend de hoogte in. Het is zeker niet de eerste keer dat Roel zo tekeergaat, maar ik weiger me aan zijn dominante houding te onderwerpen of om me nog langer voor zijn voeten te gooien. Ik wil me niet nog één keer laten overschreeuwen. Dat heb ik mezelf voorgenomen. Ik ben nog steeds verslingerd op hem. Verhangen. Verliefd op de liefde. Ik probeer hem met een rebelse blik aan te kijken, maar in de spiegel van de kleerkast zie ik dat mijn voorover gebogen schouders me verraden.

'Ik pik dit niet langer!' De stem komt diep vanuit mijn onderbuik. Niet krachtig. Eerder schor.

Hij grijnst. Trekt zijn wenkbrauw op en zegt: 'Oh jawel, als je hier weggaat, beland je in de goot. Je hebt geen ouders meer.' Daar heeft hij me, opnieuw. Verlating, dé rode draad in mijn leven.

'Ik red het wel. Ik heb genoeg doorstaan om te weten dat ik ook zonder ouders overeind kan blijven.'

Hij wiebelt met zijn hoofd heen en weer, denigrerend, alsof ik kindertaal uitkraam.

'Jij krijgt me niet klein,' hijg ik.

'Ik ga nu weg en kom pas terug wanneer je tot bedaren bent gekomen.' Roel zegt het rustig met die ingehouden adem van hem. Zijn kordate voetstappen deinen weg op de onafgewerkte metalen wenteltrap. Ik hoor de doffe bons van de achterdeur.

Jaag ik hem, zoals hij zo vaak beweert, de kast op door mijn rebelse reacties? Ik kan hem allicht beter laten razen, want ik besef dat het restaurant veel druk op zijn schouders legt. Maar hij vergeet wel dat ik even zwaarbeladen schouders moet hebben. En dat ik zonder enige overeenkomst over loon of andere dingen van 's morgens vroeg tot 's avonds laat in zijn restaurant werk. Ik voel de lava van woede weer omhoog kruipen, vanuit mijn teentoppen tot in mijn bonkende oren.

Ik ben afhankelijk van zijn restaurant, vastgeketend aan zijn bouwvallig appartement, en doordrongen van zijn ruïnerende woorden. Ik ben verslaafd aan zijn krachtige, zalvende handen die me altijd strelen nadat hij me te gronde heeft gericht. Mijn enige 'onafhankelijkheid' is mijn autootje. Dat was het enige wat ik van thuis mocht meenemen, samen met mijn kleren.

Ik hijs mezelf recht en zoek naar mijn zwarte handtas. Ik had hem toch aan de keukenstoel gehangen? Ben ik dan zo verstrooid? Ik sta bij mijn wagen, in de garage, ruk aan elk portier, constateer dat ze muurvast zitten. Dan moet ik toch naar binnen zijn gekomen met mijn sleutel? Ik loop de slaapkamer in. Daar kan ik mijn tas gisteren, nadat ik van mijn steun en toeverlaat Melissa terugkwam, in alle vermoeidheid hebben neergegooid. Tevergeefs. Ik blijf het huis doorzoeken, tot op de meest onmogelijke plaatsen.

Ben ik mijn tas bij Melissa vergeten? Nee, ik weet heel zeker dat ik gisterenavond niet heb aangebeld, want ik wilde niet dat Roel de deur zou openen. Ik moet Melissa bellen om even te checken. Terwijl dat idee me doet opveren, besef ik dat mijn mobieltje in mijn tas moet zitten. Ik wurm mijn handen in mijn slordig zittend haar en probeer tot enige inspiratie te komen om dit op te lossen. Ik loop naar het bureau, start de pc en wacht ongeduldig tot het trage ding enige bewegingskramp vertoont. Ik hoop dat ik haar nummer in de online telefoongids vind.

'Voer uw paswoord in.' Eindelijk! Gewoontegetrouw tik ik de toegangscode in. Hé? Het ding blokkeert. 'Foutieve code. Kijk na of u de hoofdlettertoets niet ingedrukt heeft staan.' Nee, dat heb ik niet. Ik voel me nog dommer dan daarstraks. Ik weet wel heel zeker dat ik de juiste code heb ingetikt. Heeft Roel aan de pc zitten knoeien? Met het vaste toestel probeer ik hem op zijn mobieltje te bereiken. Ik luister naar zijn antwoordapparaat: 'Haute Cuisine is elke dag geopend van...'

Met een smak gooi ik de hoorn weer neer. Afgesloten van de buitenwereld. Opnieuw. Ik trek driftig aan de achterdeur. Die zit muurvast, evenals de voor- en de zijdeur. Roel heeft me in zijn klauwen. Ik ren de gevaarlijke wenteltrap op, gooi me op bed. Verwarde gedachten tollen door mijn oververmoeide lijf. Ik heb dit beklemmende gevoel immers eerder gekend, lang voordat ik Roel ken.

Winter 1996

Ik was elf. De kerstvakantie begon. Mijn adoptieouders waren net twee maanden uit elkaar. Volgens afspraak zouden Ranjan en ik de eerste week bij mijn vader zijn, de tweede bij moeder. Ranjan rolde zijn autootjes met de nodige vroemgeluiden over de keukentegels terwijl ik zonder veel aandacht naar een tekenfilm keek. Ik werd opgeschrikt door moeders luide hakken waarmee ze de trap aftrippelde. Daar stond ze , overladen met drie reistassen, ook de hare.

'Vertrekken we op vakantie, mama?' vroeg ik ontdaan.

'Zoiets. Je zult straks wel zien.' Haar gezicht lachte. Verkrampt, het was in elk geval niet die geheimzinnige lach die om haar lippen speelde wanneer ze een cadeautje achterhield. Ik keek even langs me en zag Ranjan onverstoord verder gaan met het oplossen van de verkeeropstopping die hij met zijn autootjes zelf had gecreëerd. Ik stelde me verder geen vragen en richtte mijn ogen opnieuw naar het beeldscherm.

We gingen met de drie reistassen naar grootmoeder. We hadden wel vaker kerstavond bij haar gevierd, maar nu bleven we er ook voor het eerst logeren. Morgen, tweede kerstdag, zouden we vast wel op tijd bij papa zijn. Ik kon moeilijk de slaap vatten, verward door de vreemde gang van zaken. Toen ik de volgende ochtend om halfacht uit de slaapkamer kwam, was grootmoeder al op. Ze mopperde wat over de druilerige weersomstandigheden, eigenlijk niets voor grootmoeder, want die praatte altijd als eerste over de laatste familienieuwtjes.

'Ik ga me omkleden om naar papa te gaan,' zei ik. Ik trippelde ongeduldig met mijn voetzolen tegen de rand van het ouderwetse tapijt aan.

'Nee, meisje. Dat zal niet gaan.' Ik begreep niet wat grootmoeder hiermee bedoelde maar wachtte op mama. Niet veel later werd aan de deur gebeld. Het was oom Charel, moeders broer. Ik had het niet erg met hem op. Hij wekte een zeer imposante indruk met zijn grote, dikke gestalte en zijn norse uitstraling. Ik kan me hem niet anders inbeelden dan met een glas witte porto in de hand. Daar werd hij steevast drammerig van. Grootmoeder had de ontbijttafel intussen rijkelijk gedekt. Kerstservetten, chocoladen mannetjes en een heuse kerststronk hadden me het water in de mond moeten doen krijgen.

Vanuit mijn stoel staarde ik naar fonkelende kerstballen in de kerstboom. De knipperende lichtjes verblindden mijn zicht. We hoorden al lang bij mijn vader te zijn. Ik zag dat ook Ranjan onrustig was, want hij schuifelde z'n voetjes voortdurend heen en weer over het losse tapijt onder de tafel.

De telefoon rinkelde, Oom Charel nam de hoorn van de haak. 'Nee Jan,' hoorde ik hem bruut antwoorden, 'je kinderen zijn niet hier.' Geloofde mijn vader dat? Hij moest toch merken dat oom Charel wat te verbergen had? Moeder was onverklaarbaar haastig. Ze schrokte de geglazuurde kerststronk naar binnen en kieperde haar koffie met Amaretto meteen achterover. Ze verdween samen met oom Charel naar de keuken, waar ze minutenlang konkelfoesden, terwijl grootmoeder ons paaide met kerstblaadjes uit melkchocolade. Ik keek even naar Ranjan: een dikke traan rolde van zijn wangetje. Hij voelde zich betrapt en veegde die op een onhandige manier met zijn handrug weg. Moeder kwam de woonkamer in, met de drie reistassen in de hand.

'Kom, kinderen. We gaan!' Ze vertrok nu vast naar papa. Ik durfde haar geen verdere vragen te stellen, als moeder kordaat was, kon je haar maar beter niet in het harnas jagen.

We namen gehaast afscheid van grootmoeder en oom Charel en reden naar diens huis. De sfeer werd steeds grimmiger. Moeder parkeerde haar wagen drie straten verderop, terwijl in zijn straat plaats zat was. Toen we sjouwend met onze reistassen aan zijn rijwoning kwamen, zag ik dat de rolluiken van de woonkamer neergelaten waren. Met veel slalombewegingen tussen een oneindig aantal lege wijnflessen, kwam ik van de voordeur in de woonkamer terecht en maakte er aanstalten om de luiken omhoog te halen.

'Laat dat, Berlinda!' beval moeder.

Ranjan keek schouderophalend mijn richting uit. Ik wilde weer naar huis. Ik greep naar de telefoon, maar zag dat de stekker op de grond lag. Opnieuw moeder achter me: 'Laat dat, Berlinda!'

'Waarom? Wat is hier aan de hand?'

Ze kwam naar me toe, streelde door mijn haar en zei: 'Later leg ik het je wel eens uit.'

'Wanneer is "later"?'

'Nu in elk geval niet. En stop met je lastige vragen!'

Ik liep naar boven, Ranjan volgde met zijn gebruikelijk trage tred. De ramen van de slaapkamer, aan de achterkant van het huis, stonden hier wagenwijd open zodat de gure decemberwind naar binnen woei. Ik zeeg neer op het onopgemaakte logeerbed. Ranjan kwam naast me zitten. 'Papa zal ons wel aan het zoeken zijn, want het is al bijna donker,' stamelde hij terwijl hij naar het losgekomen behang staarde.

Wat moest ik antwoorden? Ik werd loom van het huilen en zakte weg in een woelige, lichte slaap. Toen ik mijn ogen opende, was Ranjan weer naar beneden gegaan. Daar trof ik hem aan op de tegelvloer in de keuken, verdiept in de drukke verkeerswereld van Matchbox. Moeder stond bij het fornuis te midden van de stank van aangebakken bloedworst. Ik ergerde me aan de radiozender die onophoudelijk kerstdeuntjes speelde. We aten snel en zwijgend en gingen vroeg slapen, Ranjan en ik in het logeerbed. Mijn moeder in dat van Charel.

De volgende ochtend leek moeder nog niet erg gehaast om te vertrekken. Ze kauwde met trage bewegingen op haar tosti terwijl haar sigaret naast haar bord in de asbak lag te dampen. Ranjan lag op zijn buik in de woonkamer met zijn autootjes te spelen en Charel was nog steeds niet komen opdagen. Benauwdheid sloeg me om het lijf.

'Berlinda, als je zin hebt, bel je je vader maar eens op.' Moeder zei het alsof het een alledaags voorstel was. Ze keek niet eens op vanuit haar bord. Ik wreef nog eens extra in mijn ogen om voor mezelf te bevestigen dat ik wel degelijk wakker was.

'Ga dan!'

Ik rende naar de bank, bij het bijzettafeltje waar de telefoon stond. Ranjan kwam in no time bij me staan en schuifelde opgewonden met zijn handjes over de verschoten fluwelen stof van de zetel. Mijn vingers waren elke coördinatie kwijt bij het intoetsen van ons thuisnummer.

'Jan Geerink,' hoorde ik aan de andere kant van de lijn.

'Papa!' Ik riep het haast uit.

'Waar zijn jullie?'

'We, we zijn bij…' Maar nog voor ik mijn zin kon afmaken, rukte moeder me de hoorn uit handen en legde in. Ik had het gevoel dat ik op een platenspeler werd gegooid en dat ik met geen enkele knop het draaien kon doen stoppen. Ik liep naar de voordeur en morrelde aan de klink, maar die was vergrendeld. Vervolgens rende ik naar de zijdeur, maar ook die zat muurvast. Daar sloeg ik met mijn vuisten tegen de deur tot ik erbij neerviel. Moeder kwam achter me staan en trok me tegen zich aan, maar ik wilde haar armen niet voelen. Niet nu. Niet nog meer beklemming!

Toen ze me losliet, bleef ik op de grond in de woonkamer zitten staren. Het achtergrondgejengel van de televisie ontging me, langzaamaan werd alles vaag. Ik leek doof te worden, de omgeving begon te tollen. Ik weet niet hoe lang de stilte precies aanhield. Ranjan was naast me komen zitten. Ik voelde zijn handjes door mijn haar gaan.

'Berlinda? Gaat het met je? Wil je wat te drinken? Je hebt niets gegeten,' ratelde hij aan een stuk door.

'Waar is mama?'

'Naar de winkel.'

Ik werd op slag helder. 'Dan zijn we alleen. We kunnen hier zo weg.'

'Zouden we dat nu wel doen? Ze is al een hele tijd weg.' Zijn ogen stonden groot en angstig.

'Nu of nooit, Ranjan! Papa zit op ons te wachten. Het telefoongesprek van vanmorgen klopt niet, Ranjan. Hij weet van niks.'

'Ja, misschien wel,' opperde hij, 'maar hoe raken we hier weg. Mama heeft de telefoonkabel losgekoppeld en meegenomen voor ze vertrok. Ook de ramen zijn vergrendeld.'

'Zou het kelderraam ook dicht zijn?' vroeg ik hoopvol.

'Misschien niet!' Ranjan klapte in zijn handjes. 'Kom, Ranjan, schoenen aan! De rest laten we hier. Als we bij papa zijn, hebben we vast voldoende kledij.'

Als dieven in de nacht, hand in hand, snelden Ranjan en ik de keldertrap af. Eén raampje! We waren gelukkig beiden niet groot en breed, dus het moest ons lukken om er, met elkaars hulp, doorheen te wurmen. Ranjan begon ongeduldig aan het slot te pulken.

'Gaat dat slot niet stiller open?' Het snerende geluid van het slot deed me daveren. Hoe lang zou moeder wegblijven?

'Jawel, maar dan heb ik olie nodig.'

'Die zal ik wel in de keuken vinden.'

'Snel dan! Mama mag ons niet horen of zien. Als ze eerder terugkomt, dan moeten we ons in de kelder verschuilen en een gepast moment kiezen om het raam zachtjes open te krijgen.'

Hij leek erover te praten alsof we helden uit een actiefilm waren. Ik sloop naar boven, snelde de keuken in, opende alle keukenkasten en zocht wanhopig naar olie. Ik draaide de fles even open. Die geur! Ik herinnerde me de tapenade van zwarte olijven die papa vaak als voorgerecht maakte. Die smeerden we uit op vers gebakken focaccia. Een klik. Het krakende scharnier van de achterdeur. Ik rende zo snel ik kon met de fles de kelder in. De echo van mijn voetstappen irriteerde me.

'Hallo?' De stem van moeder. Verdorie, in alle haast was ik vergeten de kelderdeur achter me te sluiten. Ranjan en ik verroerden geen vin terwijl we opgerold tegen elkaar, achter een paar oude, bestofte vezelplanken, zaten te beven.

'Wat doen jullie in de kelder?' Haar stem had niet eerder zo eng geklonken. Ik voelde Ranjan trillen, terwijl ze op haar gebruikelijke stiletto's de trap af kwam. Tíktik. Tíktik. Haar tred klonk kort en vastberaden. Ik werd opgeschrikt door een streng knipgeluid. Het vuile licht van een spaarlamp scheen dreigend de ruimte in. Moeders blik viel op het raam. Ik zag dat Ranjan het raam intussen, zonder olie, op een kiertje had gekregen. Moeder beende op ons af en trok ons, elk bij de pols, achter de planken uit. Ondanks ons gespartel was de ijzeren greep waarin ze ons hield behoorlijk efficiënt.

'Ranjan en Berlinda! Wiens idiote idee was dit?' Haar ogen dwaalden afwisselend van Ranjan naar mij.

'Het mijne,' antwoordde ik.

'Dat zal wel. Te veel naar actiefilms gekeken.'

'Ik wil hier weg. We horen bij papa te zijn.'

'Berlinda, vertrouw me, toe! Dit doe ik niet voor niets. Dit is voor jullie eigen bestwil.'

'Maar mama…'

'Ik vertel het je allemaal als je groter bent. Je zou het nu toch niet begrijpen. Dat is een zaak tussen grote mensen.'

Later! Altijd maar later.

Op een dag vertrokken we opnieuw met pak en zak, ditmaal naar een onbekende bestemming. We stopten bij een oud rijhuis. Moeder zei ons laconiek: 'Jullie gaan een tijdje logeren bij juffrouw Van Den Boer.'

Ik had nooit eerder van haar gehoord. Juffrouw Van Den Boer bleek een afgewassen grof geruite schort te dragen dat eruit zag alsof ze ermee in de bomen was geklommen. Hoewel elke boom het waarschijnlijk onder haar sterk uitgedijde lijf zou hebben begeven. Bij het binnenkomen werd ik bedwelmd door een onaangename geur, een combinatie van 'onverzorgde hond' en 'oudbakken taarten'. Binnen namen we plaats aan de onopgeruimde tafel waar zelfs de zwarte reuzenpoedel, die druk de kwarkpotjes leeglikte, zijn vaste plaats had. Ranjan zat naast me en schuifelde, naar gewoonte, heen en weer met zijn voetjes.

'Wat willen jullie morgen doen?' vroeg juffrouw Van Den Boer betuttelend, alsof we kinderen van vijf waren.

'Naar papa.'

Ik staarde landerig naar het schuin hangende schilderij aan de vergeelde muur. Met flarden ving ik op dat juffrouw Van den Boer een alleenstaande vrouw was, die er op de een of andere manier in geslaagd was om kinderen uit India te adopteren. 'De nieuwe zuster Theresa?' Aan mijn reactie werd geen gevolg gegeven. Juffrouw Van Den Boer had drie geadopteerde kinderen in huis, ook van Indiase afkomst. Ik kreeg een bed bij de dochter van vijftien op de kamer. Ranjan bij de twee anderen op een van de oude zolderkamers. Ik snapte niets van de gezinsstructuur hier. Wat later hoorden we moeders stem aan de trap.

'Ik ga maar eens. Juf Van Den Boer zal goed voor jullie zorgen. Wees gerust, ik zal wel eens bellen hoor!'

Die uitspraak leek honderd maal door mijn hoofd te gonzen op een paar seconden tijd.

'Mama? Ik...' Maar die zin kon ik niet meer afmaken.

'Je bent in goede handen. Ik bel je wel. Doe niet zo moeilijk. Je bent op vakantielogement. Relativeer het allemaal eens een beetje.' Ze kneep lachend in mijn wang alsof er niets bijzonders aan de hand was.

Ik voelde me idioot. Mijn armen lagen levenloos langs mijn lichaam. We waren meer dan veertig kilometer van huis, dat wist ik. Moeder was streng en kende geen genade, zeker niet als ze klappen uitdeelde. Maar ze was vertrouwd.

Hoe lang zou ze ons hier laten? Mijn keel zwol op, mijn ogen werden vochtig. Ranjan leek de situatie ogenschijnlijk als toeschouwer te benaderen.

De nacht viel, iedereen in de vreemde straat sliep, behalve ik. Ik had de hele nacht door het kleine klapraam liggen staren en werd gek van het maanlicht dat een vreemde lichtgloed in de oude kamer naliet. Zo nu en dan dwaalde mijn blik af naar het vervelend tikkende wekkertje dat naast me stond. Ik had het koud, maar ik durfde niemand te wekken en trok dan maar een extra trui aan die moeder had meegegeven.

Aan de overvolle ontbijttafel was het druk. Ik verwenste de reuzenpoedel die met zijn bruinachtige tong voortdurend op de stoel langs me lag te schooien om mijn kwark. Ranjan luisterde naar Robert, de enige jongen uit het gezelschap. Die vertelde iets over een film, maar ik verstond hem nauwelijks, omdat hij problemen had met zijn Nederlands. Bovendien ergerde ik me aan zijn gelispel.

'We gaan zo al eens naar jullie nieuwe school kijken.' Ik gruwde van de zware stem van juffrouw Van den Boer. Hier naar school? Dan konden we na maandag nog niet naar huis! Ik ving Ranjans blik op aan de overkant van de eettafel: die keek me vragend aan en haalde, even verontwaardigd, zijn schouders omhoog.

Ik stapte haast mechanisch naar de school met juf Van Den Boer aan mijn ene hand en Robert aan de andere. Ranjan werd vastgehouden door twee onbekende lieden uit het bizarre gezin. Aan de schoolpoort hing een gigantisch zilvermetalen hangslot en de ramen waren afgezet met oud verroest traliewerk. De speelplaats was opgevrolijkt met speeltuigen om het donkere, ommuurde plein nog een klein beetje kleur te geven. Aan de muur van het binnenplein hing een groot kruisbeeld. De leegte van de speelplaats, in combinatie met de krijttekeningen op de vloer, om te hinkelen, wekte een verlaten indruk. De schommel bengelde lichtjes onder de handen van de scherpe noordoostenwind. Mijn gedachten verdoofden. Wie kon mijn vader helpen door te zeggen waar we waren?

De laatste dag van de vakantie gingen we naar Brugge. De gure regen maakte plaats voor een flauwe, niet verwarmende lentezon. In het station, bij de kassa, blikte ik naar rechts. Daar zag ik enkele meters verder mensen die vlak bij het huis van mijn vader woonden. Uitgerekend hier! Zo ver van huis. Moeder had lang geleden nog voor hun parfumeriezaak gewerkt.

'Kijk daar, Ranjan! Meneer en mevrouw Verdonck.' Met een ruk draaide Ranjan zijn hoofd naar rechts en liep naar ze toe. Ze stonden hun treinticket bij het loket te bestellen. Als een losgelopen hond liep ik achter Ranjan aan.

'Hier blijven!' Juffrouw Van Den Boer trok ons aan de schouders terug in de rij. Ik verafschuwde haar koude, dominerende hand die ik op mijn linkerschouder voelde. 'Kinderen, jullie zijn onder mijn hoede. Jullie horen niet zomaar weg te lopen!' bulderde ze.

'We lopen niet zomaar weg. Het zijn kennissen. We wilden ze dag zeggen,' verdedigde Ranjan zich.

'Maakt niet uit. Jullie horen te gehoorzamen. Jullie moeder heeft me die verantwoordelijkheid toevertrouwd.'

Meneer en mevrouw Verdonck verdwenen.

'Waarom houdt u ons hier?' wilde ik weten. Ik zag de wachtenden verbouwereerd naar ons omkijken.

'Daar ga ik nu niet over uitweiden, kind. Soms moet je gewoon naar grote mensen leren luisteren,' antwoordde ze, terwijl ze ons verder duwde in de rij. Robert was achter Ranjan gaan staan als 'back-up'. Ik liet het maar zo.

Brugge kon me geen rust meer brengen, ik liep mezelf voortdurend inwendig te vervloeken, bovendien werd ik misselijk van de tocht in de gondeltjes. Ik hoorde niets van wat de gids vrolijk uitkraamde. Ik haatte de vrolijk lachende gezinnetjes, arm in arm, en wilde zo snel mogelijk weer terug en slapen. Slapen en vergeten. Slapen om de tijd van wachten te doden.

Weken draalden voorbij. Op een avond hoorde ik opnieuw het getik van haar hakken. Ik hoorde ze onze schooltassen in de gang neergooien. Bleven we hier na de vakantie? Ik vertikte het om het haar te vragen. Moeder koos ervoor om ons hier achter te laten en ze bepaalde evenzeer wanneer ze tijd had om ons te komen opzoeken. Nu koos ik ervoor om haar te negeren. Maar hier wilde ik het niet bij laten. Als niemand wat deed, dan moest ik zelf maar wat bedenken. Mijn idee zou vast alles oplossen. Ik schreef een brief.

Lieve papa,

Ik denk dat je het niet makkelijk hebt. Wij ook niet. Ik snap niet waarom mama en haar familie ons dit aandoen, maar één ding is zeker: wij willen hier weg! De rest kan me niet schelen.

Kun je ons komen halen tijdens de middagpauze van de eerste maandag na de kerstvakantie op onze nieuwe school?

Dan zullen we klaarstaan en kunnen we heel snel je wagen
in stappen. Als de brief morgenavond bij jou aankomt, dan
zorgen we ervoor dat we maandag aan de poort staan!
   Ik mis je, papa! Falco mis ik ook.
   Tot heel gauw,
   Je dochtertje Berlinda

Het schrijven van de brief had me enigszins opgelucht. Maar
hoe moest ik ongezien bij het postkantoor komen? Ik sloop de
uitgesleten traptreden af.

'Hé, Berlinda. Waar ga je naartoe?'

Juf Van den Boer! De handen in haar heupen en de ouderwetse bril op haar dikke hoofd versterkten haar strenge allure.
Mijn vingers werden gevoelloos van angst. Rits! De envelop
werd uit mijn handen geplukt.

'Die zal ík wel naar de post brengen. Ik moet straks nog even
naar mijn vriend toe.'

'Nee!' schreeuwde ik.

Tevergeefs. Haar slome voetstappen stierven weg in de gang,
tot ze de keukendeur met een klap achter zich dichtgooide. Ik
timmerde met mijn vuisten op mijn bed en smoorde mijn tranen
in het hoofdkussen. Plan mislukt. Ook na de kerstvakantie hier
blijven, dus…

Nog voor ik naar school moest vertrekken, voerde mijn maag
een protestactie uit. Ik kreeg het kwarkontbijt niet door mijn
strot heen. De slappe koffie liet ik staan. Ook Ranjan at niets.
Samen met hem en juf Van De Poel als bodyguard liep ik naar
de nieuwe school als naar de gevangenis. Meteen aan de poort
kwamen onze leraars ons halen. Meneer Janssen, mijn klastitularis, begon met een waardeloze uiteenzetting over mijn ouders
die op vakantie waren.

'Nee,' verweerde ik me, 'ze zijn niet op vakantie. Papa is gewoon aan het werk en wacht thuis op ons.' Hij negeerde mijn reactie en ging onverstoorbaar door met de heuglijke boodschap dat ik me voor de rest van het schooljaar bij deze klas zou voegen. De spieren in mijn borstkas trokken zich samen. Dit toneelspel klopte niet. Acteertalent genoeg, maar er ontbrak veel in het scenario.

Zouden we moeten wachten tot we meerderjarig waren? Ik gooide mijn stoel achteruit, rende het klaslokaal uit, de zwart-gestippelde marmeren trap af, en sloot me op in de toiletten om er tot rust te komen. Daar lieten ze me gelukkig ook met rust. De ouderwets klinkende schoolbel haalde me uit mijn apathie. Vrijwel onmiddellijk klonk er gekwetter in de lavaboruimte. Ik bette mijn ogen bij de toiletkraan en stapte het speelplein op. De verdere schooldag hield ik me gedeisd. De zeurende maagpijn kwam en ging.

Toen ik 'thuis' kwam, wilde ik enkel liggen. Rusten. Slapen en vergeten. Ik liet mijn opgegeven huistaken voor wat ze waren en ging op de oude, vaal bebloemde bank liggen.

'Slaap maar en drink wat koffie, dan kun je morgen weer naar school toe,' opperde juf Van Den Boer. Wat kon koffie aan mijn stemming veranderen?

Een paar ogenblikken later slofte ze op haar pluchen instappers naar boven. Er was verder niemand thuis. Zelfs de verfomfaaide poedel vergat me te bewaken. Ik sloot mijn ogen. De wereld trilde achter mijn vermoeide oogleden. Ik opende ze opnieuw. Mijn hoofd bonkte en mijn keel werd dik. Ik keek om me heen, zag nog steeds niemand, nam bevend de telefoon van de haak. Ik moest mijn vader bellen! Hem op zijn minst op de hoogte brengen. Ik toetste zijn nummer in. De toon ging al twee maal over. Dan hoorde ik de rammelende oude voordeur in het slot daveren.

'Wat deed je daar?' snauwde mijn dominante kamergenote.

33

'Vraag het eerst als je zo nodig wil bellen.' Ze leek er als zeventienjarige voortdurend plezier in te scheppen om me bazig te behandelen. Ik gruwde van die opgetrokken wenkbrauw van misprijzen als ik wat vertelde. Zij hield de waakmachine goed geolied.

Wekenlang werd ik geleefd. Tot op een donderdagavond de telefoon rinkelde. Juf Van den Boer riep me bij haar. Het was moeder. 'Hoe gaat het met mijn kleine meid!'
'Niet goed.'
'Hoezo? Juffrouw Van Den Boer vertelde me dat jullie nu fijn naar school gaan en zo...'
'Omdat het moet.'
'Berlinda, wees niet zo ondankbaar. Juf Van Den Boer zorgt goed voor jullie. Ze kookt allerlei lekkers, ze wast jullie kleren en...'
Ik gooide de telefoon neer. Hoe meer ik moeder hoorde, hoe bozer ik werd. En hoe verdrietiger.

Ik kwam Ranjan in de donkere badkamerhal tegen en fluisterde dat hij moest blijven staan. 'Ranjan, vanmiddag gaan we naar papa. We vluchten gewoon! Ik heb al een plan.' Ik probeerde mijn opgewondenheid in te tomen. Niemand mocht het horen. 'Als jij het eens bent met me, dan zien we elkaar straks om drie uur aan de schoolpoort.'
'High five!' lachte Ranjan stil, waarbij hij zijn hand tegen de mijne aanklapte.

Ik lette geen seconde meer op in de les, staarde voortdurend uit het raam. De tralies belemmerden mijn zicht op de schoolpoort. Het ongeduld drukte op mijn borstkas. Ik hoorde mezelf even voor drie tegen de leraar zeggen dat ik even naar het toilet moest.

Zoals afgesproken stond Ranjan aan de schoolpoort. Hij maakte van zijn handen een kommetje, zodat ik met één voet erin kon gaan staan. Mijn tweede been zette ik vast in het hekwerk. Ik had het gevoel dat ik kon vliegen. Zo dadelijk zouden we samen weg zijn.Wég! Wegvliegen!

We werden opgeschrikt door een schok. Een kordate, pijnlijke greep om mijn linkerbovenarm bracht me terug op de grond. Meneer Janssen, mijn klastitularis. Ranjan en ik lieten elkaars handjes niet los. Ook de tralies bleven we stevig vasthouden.

'Wat stelt dit voor?' De strenge rimpels in zijn voorhoofd voorspelden niets goeds.

'Meneer, wij willen terug naar papa. Naar huis,' verduidelijkte ik.

'Hoezo, jullie willen naar huis,' imiteerde hij me met een ietwat belachelijke ondertoon. 'Jullie wonen bij juffrouw Van Den Boer en gaan hier naar school. Geen gejammer!'

Ik sputterde tegen. 'Mama heeft ons naar hier gebracht, papa weet niet waar we zijn.'

Ik keek hem hoopvol aan, wachtend op enige vorm van begrip. 'Als jullie moeder jullie naar hier brengt, dan heeft ze daar alle reden toe.'

'Maar meneer Janssen, mijn vader weet niet waar we zijn,' verhief ik mijn stem.

'Niks te meneer Janssen. Jullie gaan nú elk naar jullie eigen klas!'

Ranjans leraar was erbij komen staan. Ik keek voorzichtig naar de overkant van het plein. Onze klasgenoten stonden met hun neuzen tegen het raam geplakt, alsof we een gigantisch, ongehoord spektakel in scène hadden gezet. Tranen sijpelden op mijn te kleine gele trui. Ik voelde me belachelijk. Ranjan trilde en liep gedwee mee met zijn leraar. Hij keek nog een keer naar mij achterom. Wat voor zin had het nog? Mijn vader had de brief vast niet gekregen.

Moeder kwam later om te melden dat we naar papa gingen, en daarna weer met haar naar huis. Verdere toelichting gaf ze er niet bij, ze ging al snel weer weg. Voor het eerst sinds lang huilden Ranjan en ik met langgerekte snikken. 'Ik geloof het niet, Berlinda. Wat als mama liegt? Kunnen we dan niet nog één keer proberen om goed te ontsnappen?' jammerde hij. Zou het nu echt waar zijn? Eindelijk papa terug zien. Eindelijk de kamer niet meer moeten delen met die vervelende dochters Van Den Boer...

Toen ik bij terugkeer van school moeders oude groene wagen bij de voordeur van juffrouw Van Den Boer toch zag staan, wist ik dat ze zich ditmaal aan haar woord had gehouden. Onze tassen stonden slordig ingepakt in de gang. Mijn hart sloeg een keer over. Ranjan en ik werden zo uitbundig dat we meteen op de achterbank sprongen, zonder nog de bende gedag te zeggen. Moeder leek nog eeuwen te staan ouwehoeren. De wijzers van het klokje op het dashboard gingen tergend traag vooruit.

Op de terugweg hing een verhitte stilte. Ik hoorde de andere auto's op de snelweg niet. Automobilisten die 'gewoon' naar huis reden. Toen we de straat waar mijn vader woonde in reden, parkeerde moeder haar wagen op het verlaten parkeerterrein van de plaatselijke supermarkt. 'Verheug je maar niet te veel op een lang weerzien. We lopen even bij hem binnen en vanaf morgen zie je hem slechts één weekend om de twee weken. Alles blijft verder zoals het is.'

'Mama! Waarom?' Ongewild klonk mijn stem meer als een smeekbede.

'Op termijn zal je gelukkig zijn dat je bij mij woont. De rest leg ik je later nog wel eens uit.' Ze keek even naar me op in haar achteruitkijkspiegel, met iets wat op glimlachen leek. Ik zweeg. Ik wilde me optrekken aan het weekend dat Ranjan en ik bij mijn vader zouden doorbrengen. Moeder keek opnieuw in de achter-

uitkijkspiegel: nu zonder lach. Wel die onheilspellende strenge blik van haar die me altijd deed rillen.

'Jullie zien hem vanavond even. Alles zal volgens mijn strikte regelingen verlopen. Dat wil zeggen dat hij jullie morgenochtend om negen uur kan komen ophalen, en zondagavond netjes om zeven uur bij mij afzetten.'

Ranjan keek me verbouwereerd aan.

'Mama, kun je ons niet gewoon één extra nachtje bij papa laten blijven vanavond?'

'Nee, nee en nog eens nee! Jullie vader zou er maar al te graag van gaan profiteren in de toekomst. Ik heb de touwtjes in handen,' zei ze, 'ik en niemand anders!'

Nog voor moeder de wagen op de vertrouwde oprijlaan tot stilstand had gebracht, renden Ranjan en ik als losgeslagen gekken op de voordeur af. Daar stond hij. Zijn opgezette, rooddoorlopen ogen vielen me op. Zijn eens zo donker haar leek grijzer te zijn geworden. Hij had een donkerblauwe zakdoek in zijn rechterhand. Een lichtbruine in de linkerhand. Hij had gewoontegetrouw twee zakdoeken op zak; eentje voor zichzelf en eentje voor mij, om te kunnen duimen. Hij moet ze al die tijd op zak hebben gehad, vermoedde ik.

'Kinderen van me! Kinderen!' Hij kneep ons haast fijn. Mijn zo stoere vader, nu met gebroken stem en gekarteld gelaat. We huilden alle drie, met schokkende schouders. Moeder stond erbij als uit marmer gehouwen, tot ze het tijd vond om te vertrekken.

Die avond zeiden we niet veel, zwijgzaamheid was veiligheid. Mijn vader kwam ons, volgens afspraak, de volgende ochtend halen. Een weekend bij mijn vader leek zó immens lang geleden, dat ik me niet meer kon voorstellen hoe het was geweest. Dit weekend was alvast een verademing: we gingen wandelen in het park, kregen een ijsje, we vertelden vader over onze school en onze kamers in het andere huis. 's Avonds kokkerelde mijn vader uitgebreid. Hij maakte echte traditionele Italiaanse penne met verse basilicum, gehakt en verse tomaten. Heel wat anders dan het pakjesvoer bij juf Van den Boer, waar alles snel moest gaan. Behalve breien en ouwehoeren aan de telefoon. Na het heerlijke eten kwam papa naar ons toe en nam ons even in stilte vast. Ik was dat beschermende gevoel kwijtgeraakt. Terwijl hij ons zo vasthield, vertelde hij over Anne. Ze bleek zijn vriendin te zijn geworden. Ik voelde me even raar. Ik kon me mijn vader niet voorstellen met een nieuwe vrouw. De volgende ochtend zag ik haar voor het eerst, in de deuropening van de keuken. Ze had glanzend, kort, blond haar. Haar fonkelende ogen gaven haar een levenslustige uitstraling. Ze was zelfs iets groter dan papa, heel slank, in een vrolijke kleurrijke jurk, en bovenal had ze iets lieflijk en spontaan. Ik zag Ranjan zienderogen veranderen, hij lachte en grapte. Zo uitbundig had ik hem in geen tijden meer gekend. Ik mocht Anne meteen. Haar zorg, haar warmte en bovenal haar speelsheid waren zo anders dan de afstandelijkheid van mijn moeder.

Voorjaar 2005

Ik moet in slaap zijn gevallen na de hevige ruzie die we hadden, daarstraks na het sluiten van het restaurant. De klap van de achterdeur gonst nog na in mijn lijf, zelfs nu nog, nu hij meer dan twee uur geleden in de duisternis op zijn fiets is vertrokken. Het appartement is in een teisterende stilte vervallen. Ik kijk opzij en verwens de roodverlichte cijfers van de klokradio, het is twintig voor vier in de ochtend. Mijn handtas is onvindbaar. De luttele straatverlichting laat een vreemde schemering na op de kale muren van de slaapkamer.

Ik draai me op mijn zij, de stramheid nestelt zich in mijn spieren. Ik probeer mijn tollende gedachten te doen stoppen door een komische film te bekijken, maar de geforceerde 'humor' ervan brengt me niet aan het lachen. Ik sta op, maak wat melk warm, en doe er drie scheppen honing in. Het mengsel zou me in slaap moeten wiegen, en dat doet het. Voor een paar uurtjes tenminste.

Plots voel ik krachtige handen door mijn lange haar woelen. Ik draai mijn hoofd opnieuw naar de wekkerradio, en tuur met haast dichtgeknepen ogen naar de cijfers. Halfzes in de ochtend! Ik voel me rot. Onbelangrijk.

'Sorry meisje. Ik had het moeilijk met de zaak en ik werkte het op jou af.'

Zijn bestudeerde woorden verwarren me.

Schuldbekentenis? Is de vergoelijking voor zijn gedrag aanvaardbaar? Moet ik het zomaar snel even begrijpen?

'Waar ben je al die tijd gebleven?'

'Stom toeval. Ik ging wat fietsen en ik ben Ronny onderweg tegengekomen. We zijn naar de Technoclub gegaan.' Voor die tent had hij niet veel goede woorden over. Drugs, laag volk en vooral idiote muziek. Althans, dat had ik hem vaker horen zeggen.

'Je vond de Technoclub toch niet erg jouw ding?' probeer ik met getemperde stem.

'Nu ja, ik moet bekennen dat ik me vergist heb. Ronny heeft me mijn mening doen herzien. De muziek valt uiteindelijk best mee als je je concentreert op het ritme. Het brengt je in een roes, zeker met de ritmische bewegingen van de spotlights. Enne... last but not least, prachtig mooie dienstmeiden,' smaalt hij.

Ik blijf met mijn rug naar hem toe liggen terwijl hij me onophoudelijk over mijn rug blijft strelen. De traagheid van zijn liefkozingen brengen me ongewild tot rust. Dan zijn er weer die knedende handen in mijn nek die ervoor zorgen dat ik alles wil vergeten. Mijn spieren trekken zich samen onder zijn handen. Ik voel me weer wegzinken in de macht der vertrouwdheid.

'Berlinda, ik geef toe dat ik wat te kordaat ben overgekomen, maar anderzijds moet je ook leren beseffen dat jouw opstandigheid iedereen wel op de kast jaagt. Ik heb gezien de financiële druk op het restaurant niet zo erg veel geduld om je grillen te ondergaan, begrijp je?'

Ik begrijp niets! Ik draai me om en kijk hem strak aan. 'Waar is mijn handtas?'

'Die heb ik meegenomen. Ik wilde niet dat je in een dolgedraaide bui de wagen zou instappen. Ik heb het uit bezorgdheid gedaan.' De kalmte in zijn stem maakt me nog gejaagder dan ik al ben.

'Mij opgesloten uit bezorgdheid? Jij maakt dus in mijn plaats uit wat wel of niet goed voor me is?' raas ik met ingehouden stem.

'Ik moet het wel doen, want soms lijk je niet in staat om voorzichtig met jezelf om te springen. Dat komt allicht voort uit je woelige jeugd. Misschien moet je toch maar eens een therapeut raadplegen.'

Ik vouw mijn handen verkrampt in elkaar, hopend dat ik hierdoor de uiterlijke kalmte kan blijven bewaren.

'Mijn jeugd is geen excuus. Je hebt me opgesloten, dit doe je niet om mij te beschermen, wel om macht uit te oefenen.' De snelheid waarmee ik het zeg, verraadt mijn boosheid.

'Zo is het wel genoeg geweest, lijkt me. Als je opnieuw in een hysterieaanval vervalt, ben ik zo weer weg, hoor!' Weer opgestoken wijsvinger.

Rustig ademen, maan ik mezelf. Mijn lichaam volgt mijn eis langzaam maar zeker op. Er volgt een soort kalmte. Een rare soort onverschilligheid. Ik besluit mijn mond verder te houden. Zwijgen. Zoals ik vroeger deed. Dat lijkt me nog het veiligst, zo kon ik moeder immers ook kalmeren.

Ik heb net de gerechten voor vanavond staan voorbereiden, al gaat me dat moeilijk af na de scène van gisterenavond. Tien over vijf. Ik heb nog even een klein uurtje voor Haute Cuisine opengaat, en besluit een tijdschrift in handen te nemen om mijn piekergedachten, twijfels en vermoeidheid te verdrijven, maar zelfs dat ene uurtje wordt me niet gegund. 'Schiet op, Berlinda. Zo dadelijk gaat het restaurant open. Zorg ervoor dat je er toonbaar uitziet,' klinkt het hol onderaan de wenteltrap.

Hij kent geen vragen, enkel gebiedende wijs. De spiegel herinnert me eraan dat ik de hele nacht heb wakker gelegen. Ik heb rode, dikke ogen. Mijn blik focust zich op de rest van mijn gezicht. Indiërs worden niet bleek van vermoeidheid, eerder grijzig. Mijn haar wil niet mee als ik het kam.

'Toe Berlinda, kom alsjeblieft naar beneden.' Zijn smekende stem knaagt aan mijn geweten maar jaagt me tegelijkertijd op. Ik kan het niet maken dat hij er alleen voor staat in het restaurant. Als Haute Cuisine op de fles zou gaan, hebben wij geen toekomst meer. Ik móet Roel zijn stressreacties vergeven. Het zal vast allemaal wel beter gaan. Ooit…

Gelaten sta ik op. Ik spoel mijn gezicht in ijskoud water, want warm water is er boven niet, maar het geeft mijn gezicht meer kleur. Ik zoek mijn klassieke broek en witte bloes uit het gammele kledingrek, bind mijn lange haar bij elkaar in een knot, en loop met rechte schouders de trap af. Beneden zie ik dat Roels paniekreactie een vertekening is van de werkelijkheid: er zit maar één klant. Zwart pak, netjes gekamd haar. Op diens bolle gezicht staat een bril met een veel te groot montuur, eentje uit de jaren zeventig. Zijn ogen kijken me ietwat scheel aan van achter de menukaart.

'Zo juffrouwtje, wat schaft de pot vandaag?'

'Een preisoepje als voorgerecht. Vervolgens een goed gevulde ovenschotel van witlof met ham en kaassaus. Koffie of thee naar keuze na.'

'Dat klinkt lekker,' zegt hij terwijl hij me onderzoekend opneemt van onder zijn ouderwetse dikke bril.

'Dat is toch niks uit jouw cultuur, dat soort eten?'

'Mijn cultuur?'

'Waar jij vandaan komt, eten ze toch geen ovenschotel van witlof met kaassaus? Wel?'

Hij lijkt zich te amuseren.

'Waar kom ik dan volgens u vandaan?'

'De Kongo? Wild guess?'

'Mis, India. Keuze gemaakt?' zeg ik afgemeten.

'Doe mij maar het dagpotje dan. Maar eh… mag ik de pan vervolgens uitlikken?' Zijn vlezige tong rolt opnieuw om zijn lippen. In een ruk neem ik de menukaart uit zijn vingers en loop met kordate tred naar de donkere keuken toe, ook daar bespaart Roel op verlichting. Geen Roel te bespeuren. Ik loop naar zijn bureau naast de keuken en staar verbouwereerd naar het scherm.

'Geile fotomodellen,' lees ik op de zoekpagina. Mijn gezicht verstrakt, mijn mond wordt droog. Ik haal diep adem. Alles wil ik doen om de kalmte te bewaren.

'Zou je me niet helpen?' hoor ik mezelf vragen.

'Waarom? Er is toch maar één klant.' Hij kijkt niet eens naar me op.

Terwijl hij de zoekpagina haastig weg klikt, zie ik nog net een meer dan halfnaakte dame, maar ook dat beeld klikt hij even snel weer weg.

'Waarom moest ik dan zo nodig naar beneden toe komen?'

'Ik heb het druk met de marketing.'

'Dat zie ik!'

'Ik ben op zoek naar een mooi model voor op onze folder.'

'Je hebt me vorige week nog beloofd dat ik jouw model zou worden.'

'Dat heb ik je beloofd, ja. Maar ik heb me bedacht.'

'Hoezo?'

'Kijk, Berlinda, het is nu eenmaal niet commercieel om een gekleurd gezicht op een folder te zetten.'

'Hoe bedoel je?' Mijn hoofd begint te verhitten.

'Kijk, niet dat ik jou niet mooi vind of zo, maar "een kleurtje" is nog steeds "onbekend maakt onbemind". Het wordt niet als "objectief mooi" beschouwd, snap je?'

'Nee, ik snap er niets van.'

'Kijk, ik wil je niet kwetsen, maar ook kleurverschillen schrikken mensen af. Mensen weten nu eenmaal niet beter.'

'Wel, Roel, ik had van jou toch meer intelligentie verwacht, en dat je boven die flauwekulmentaliteit zou staan.'

'Misschien heb je wel gelijk, Berlinda. Ik zal jou als model gebruiken. Laten we nu deze discussie stoppen. Ik geef toe dat ik mijn belofte niet ben nagekomen. Sorry daarvoor.' Zijn ogen dwalen opnieuw af naar het scherm. Hij rolt zijn gammele bureaustoel achteruit en loopt het restaurant in, waar de rotklant een praatje met hem maakt. Nadat ik de preisoep heb opgewarmd, stap ik ook op de klant af. Die werd inmiddels bediend met een drankje van het huis. Witte Porto. Roel lijkt opnieuw te zijn verdwenen.

'Je praat wel mooi Nederlands. Dat heb ik allang gehoord.'
Hij denkt dat hij me complimenteert.

'Ik ben geadopteerd… aangenomen,' verduidelijk ik met simpele woordenschat. Ik onderdruk mijn lach met een hand voor mijn mond, terwijl hij zich in zijn te hete soep verslikt. Ik herpak me en ga verder. 'Ik ben hier sinds ik baby was. En ben volledig westers opgegroeid. India is heel wat anders dan de Kongo, dat ligt in Azië.'

De man gooit zijn lepel neer. 'Ik ben hier niet om op mijn plek te worden gezet door een zwarte snottebel.' Hij veegt zijn dikke lippen driftig af aan het zorgvuldig opgeplooide servet, en duwt de plastic stoel achteruit. Terwijl hij zijn jas aantrekt, zie ik Roel verschijnen. Eindelijk! Komt hij me verlossen?

'Maar meneer Van Aedel!' roept Roel verschrikt uit. 'Was het eten niet lekker?'

'Mijn excuses, meneer, maar uw personeel bevalt mij niet, dan mag uw soep nog zo lekker wezen!' Zijn onbeschoftheid verruilt zich nu voor geaffecteerd Nederlands. De glazen deur valt met een luide smak dicht.

'Wat stelde dat voor, Berlinda? We kunnen het ons niet veroorloven om grote klanten te verliezen.

'Grote klanten?' herhaal ik smalend.

'Hij is de broer van de voorzitter van de vb. Het was een hele eer om hem te mogen ontvangen in mijn restaurant!'

'De vb?

'Het Vlaanderen Boven Comité.'

'Ik ken toch niks van de actualiteit, wel.'

'Dat maakt niet uit. Hij brengt geld in het laatje. Geld dat we niet te veel hebben. Deurwaarders kloppen ongeduldig op de deur.'

Geld! Geld Altijd het eeuwige woord dat in Roel opkomt!

Nadat de broer van de voorzitter van de VB is opgestapt, stroomt nog een handjevol mensen binnen. Gewone, sympathieke mensen. Ik herleef een heel beetje door het compliment van een oud vrouwtje die mijn vriendelijkheid waardeert. Ze kookt niet meer voor zichzelf. Mogelijk een vaste nieuwe klant. Maar een oud vrouwtje met een pensioentje is vast 'peanuts' voor Haute Cuisine.

Om halftwaalf, nadat de laatste klanten de deur uit zijn en ik samen met Roel de boel heb opgeruimd, duik ik doodop in bed. Ik dommel in, maar een klein uurtje later tast ik blindelings langs me, op zoek naar de Roel. Ik veer op, het laken langs me is koud en onbeslapen.

Ik loop naar de keuken. Tevergeefs. Hij is niet boven. Ik kijk uit het woonkamerraam en zie zijn verroeste fiets tegen de zijgevel staan. Wat is er aan de hand? Is Ronny hem komen halen terwijl ik sliep? Ik zie licht in de traphal. Dan moet hij vast nog aan het werk zijn. Ik ben gerustgesteld dat hij zich eens met de administratie bezighoudt. Blootsvoets ga ik de draaitrap af, in de hoop in de restaurantkeuken nog wat te eten te vinden.

In de keuken warm ik wat preisoep op en breek een stuk verhard wit stokbrood af. De monotonie van mijn kauwbewegingen brengt me tot rust. Terwijl ik tegen het aanrecht leun, dwalen mijn ogen af naar de keukendeuropening en zie dat het licht van de bureaukamer schemeringen op de muur nalaat. Ik loop op de deurkier af en schrik me rot. Roel is helemaal niet aan het werk! Zijn brede rug is naar mij toe gekeerd, het pc-scherm 'uitnodigend' op mij gericht: naakte vrouwen. Prachtlijven. Meisjes. Piepjong. Twee staarten. Hyperslank. Grote borsten, veel groter dan de mijne. En allemaal blond. Op de grond proppen papieren zakdoekjes.

Ik moet haast kokhalzen van zijn heftig bewegende rechterhand. Hij heeft me kennelijk nog altijd niet in de gaten, want hij trekt gulzig een volgend zakdoekje uit de doos. Mijn Roel, opgewonden van andere vrouwen...

'Roel?'

Hij veert in een felle ruk op, zijn hand stopt met bewegen. Hij klapt zijn notebook snel dicht en trekt in even snel tempo zijn ritssluiting weer omhoog.

'Wat doe jij hier nog? Ik dacht dat je sliep. Je was moe,' ratelt hij met een naar beneden gericht pioenhoofd.

'Waarom, Roel? Waarom?' Ik heb mijn stem niet meer onder controle.

'Gewoon. Elke man doet dit. Je kunt nooit de enige, meest opwindende en mooiste vrouw zijn voor één man.' Mijn keelgat lijkt dicht te slibben, maar ik herpak me.

'Dat zegt veel over jou...'

Het zijn de enige woorden die ik gezegd krijg voor ik me in mijn voile nachthemdje omkeer. Eenmaal boven weet ik niet meer waar ik met mezelf naartoe moet. Ik ijsbeer van woonkamermuur tot keukenmuur. Elke ruimte voelt te klein aan. Ik trek mijn spijkerbroek en jas aan en loop naar het onafgewerkte dakterras. De gordijnen zijn overal gesloten. Het valt me nu pas op dat wij die niet eens hebben. We lijken in een aftandse toonzaal te leven. Vroeger was het idyllisch om innig omarmd uit het grote raam naar de volle maan te kijken. Nu wil ik niet meer denken. Morgen moet alles gewoon anders zijn. Als ik geslapen heb, ziet de wereld er beter uit. Daar trek ik me aan op.

Dat idee beliegt me. Ik word wakker uit een dwaze droom. Roel ligt ronkend naast me. Zijn gezicht lijkt zacht, haast engelachtig. Ik denk terug aan het gesprek dat moeder en ik samen hadden toen ik twaalf was. Ze was pas samen met Eddy en zei: 'Een man heeft nooit genoeg met één vrouw. Je kunt nooit alles tegelijkertijd zijn voor één man. Daarom zoeken mannen hun opwinding elders.'

Heeft ze gelijk?

Lente 1997

Ik wilde niet meer bij moeder wonen, sinds ze samenhokte met haar nieuwe vriend Eddy. Waarom was hier geen enkele sleutel te bespeuren? Ik wilde mijn kamerdeur op slot houden. Vooral de badkamerdeur, goed wetende waartoe Eddy in staat was. Ik zat in bad. De badkamerkraan maakte veel herrie, maar het scherpe geluid van scharnieren verdoofde mijn gehoor.

Ik had niet de tijd om te hopen dat het moeder was. Eddy stond prompt in de deuropening. Ongegeneerd, als altijd. Hij sloot de deur achter zich. 'Hoi poppetje. Je hoeft voor mij niet zo ver weg achter dat douchegordijn te kruipen, hoor. Ik ben het gewend om blote wijven te zien,' grinnikte hij.

'Verdwijn, Eddy!'

Hij leek me niet te horen. Integendeel, hij begon zijn hemd los te knopen, alsof hij alleen in de badkamer was. Vervolgens pulkte hij aan de gulp van zijn te krappe grijze jeans. Waar bleef moeder? Ze had me vast toch wel horen schreeuwen daarnet? Zijn spijkerbroek zakte op de grond. Hij kwam ongezien snel naar het bad en trok het gordijn verder opzij.

'Mooi zo!' hijgde hij.

Ik wilde dat ik door de muren heen kon wegvliegen, dan zou ik de wolken vragen om me in bescherming te nemen. Het badwater weerspiegelde mijn trillende lijf. Terwijl hij zijn houthakkershemd losknoopte, bleef hij me bestuderend aanschouwen. Ik wilde verdrinken. Hier en nu! Tot mijn paniek merkte ik dat mijn handdoek niet binnen handbereik lag. Eddy keerde zich naar me om en vroeg: 'Heeft een jongen dat lijf van jou al eens gezien?'

Zijn tong rolde opnieuw langs zijn gesprongen dikke lippen. Hij zette een paar passen dichterbij. Zijn ogen doorboorden mijn lichaam met een vreemde blik. Ik gooide zoveel mogelijk schuim over me heen en draaide mijn gezicht weg van hem.

'Laat me met rust Eddy!'

Hoorde moeder me nu nog altijd niet? Hij knielde neer voor de badrand. Ik wilde dat ik mezelf had kunnen wegspoelen, samen met het badwater. Zijn zwarte nagels reikten naar me terwijl ik mijn armen gespannen om mijn opgetrokken onderbenen hield. Hij kwam dichterbij en beroerde mijn rechterdijbeen. Zijn gigantische hand gleed snel naar mijn liesstreek en omklemde die met een vastberaden druk. Elk gevoel van veiligheid ontvluchtte me. Alles voelde glibberig. De hand ging lager. Ik schoof verder weg totdat ik tegen de uiterste badrandhoek aan zat, maar zijn arm leek oneindig lang. Mijn denken verstilde en mijn oren suisden.

Dáár betastte hij me.

Mijn lichaam. Mijn schaamte. Mijn trots.

'Idioot!' schreeuwde ik. Even leek het alsof ik het ritme van mijn ademhaling verloor. Ik moest hier blijven. Schreeuwen. Net zo lang tot iemand me hoorde. Al was het de stokoude, dove buurvrouw. 'Blijf van me af!'

De smerige hand trok zich plots haastig terug. Hij keek me nijdig aan toen de deur openging.

'Laat mijn zusje met rust!' Ik had Ranjan nooit eerder zó kwaad gezien. Hij liep vastberaden de badkamer in. 'Hier, zus.' Hij reikte me de handdoek aan. 'Die stommerd hoort hier niet te zijn.'

'Kereltje, zing al maar snel een toontje lager. Ik betaal hier de hele boel, inclusief jullie eten. Dus ben ík vrij om te gaan en staan waar ik wil, begrepen?' Ranjan wierp hem een vernietigende blik toe terwijl Eddy uiteindelijk de badkamer verliet.

Waren alle mannen zo?

Zomer 2005

Ik houd van Roel, anders zou ik toch niet bij hem blijven, toch? Er is iets onverklaarbaars in mij, dat zich voortdurend aan hem hecht. Hunkering naar een beetje gratie? Ondanks de onderkoelde houding die hij zichzelf vaak aanmeet, zijn er ook van die verhitte, passionele momenten tussen ons. Iets dat liefde heet?

Ik probeer zo weinig mogelijk terug te komen op het gedoe met de pc. Als hij zijn zachte lippen tegen de huid van mijn hals beweegt, langzaam naar beneden gaat, mijn borsten kussend, zijn handen heftig masserend in mijn taille, dan weer omhoog glijdend, vergeet ik alles. Hij wil mij, en dat idee brengt me in geheel ontspannen toestand. Wat is er met me?

'Stop!' roep ik ergens vanuit mijn onderbuik. Het pc-gedoe. Ik ontdekte in de browse-geschiedenis dat hij chatsessies met piepjonge meisjes hield op Icemail Dating. Onschuldig, zo beweert hij. De naakte, getrukeerde, haast té perfecte meisjes. Hooguit achttien? Of niet eens? Wat denkt hij wanneer hij zijn ogen sluit en mij liefkoost?

'Het is niet zo erg, Berlinda. Mannen doen het allemaal, je kunt immers nooit genoeg zijn voor één man.' Moeder woont nog altijd in mijn hoofd.

'Hé, toe! Waarom raak je me niet wat krachtiger aan,' klinkt het in mijn nek.

'Ik weet het niet.'

Hij laat me bruusk weer los.

'Je gaat toch weer niet liggen dubben over mijn liefde voor jou? Wel?'

'Roel, Ik voel me niet genoeg voor jou.' Mijn stem blijft halverwege mijn keel steken.

'Hup! Daar gaan we weer.'

'Sorry, het zit nu eenmaal in mijn hoofd.'

'Jij zou een pc-idioot moeten zoeken. Liefst nog eentje die enkel op mannen valt. Je vriendje, die eigenlijk je beste vriendin kan zijn. Zo van die flauwekultypes die in je tijdschriften staan. Geen échte man dus!'

Ik negeer zijn doordravende gedachtegang.

'Waarom heb je dat dan zo nodig? Dat vrijgezellenprofiel op die datinglijst, de strandfoto van je ex in bikini die na meer dan twee jaar sinds je brak met haar nog altijd in je portefeuille zit. En dan je geilheid voor piepjonge naakte meisjes. Jouw opwinding. Maar niet voor mij.' Ik hoor dat ik te snel praat. Bang om het niet allemaal bijtijds duidelijk gemaakt te krijgen.

'Simpel te begrijpen, Berlinda. Ik ben nu eenmaal als man geboren. Jij bent soms te voor de hand liggend,' smaalt hij. Daar moest ik het dan mee doen. Voor de hand liggend? De geschiedenisbestanden die hij steeds vaker wist, 'om mij van foute gedachtegangen te besparen'? De urenlange fietstochten van elf uur 's avonds tot drie, vier uur in de ochtend?

Ik stap het bed uit, en tuur van op het onafgewerkte dakterras naar buiten, naar de uitgestrekte verte. Ik haat gezellig verlichte huizen.

'Kom je mee naar buiten?' Zijn groene ogen kijken me liefdevol aan. De heesheid in zijn stem verraadt zachtheid. Die stem herinnert me aan onze begintijd samen. Lachend op de fiets. De zomerzon die mijn huid verwarmde. De zachte bries die in mijn haar blies. De vrolijke popdeuntjes in mijn hoofd. Toen kon ik vliegen! Weg uit de wereld van Angela. Ik verlies mijn gedachten in de picknickmomenten op uitgestrekte grasvelden. De zonovergoten terrasjes. De smaak van rodebessenlimonade.

Zijn handen om mijn middel. Zijn handen onder mijn strapless topje. Meer nog herinner ik me de gesprekken over later. Zo was het. Zo moest het opnieuw worden, zodra de financiële stress over zou zijn. Alles kon beter. Ik volg hem, de trap af naar buiten.

De mistroostige achtertuin is geheimzinnig, ietwat sprookjesachtig verlicht. Hij neemt me bij de hand.

'Kom, hummeltje,' fluistert hij. Ik kijk naar het bloedrode dikke zachte deken dat voor me uitgespreid ligt. De zomerse sterrenhemel blikt op ons neer. *Waiting on a Sunny day* van Bruce Springsteen. Een liedje uit onze begintijd. Zorgvuldig uitgekozen? Pas dan word ik me bewust van het aroma. Bekend en vertrouwd. Curry en kokos. Hij gebaart me neer te vlijen in de stapels kussens die hij over het deken heeft gespreid. Op de vuurtjes staan aardewerkpannetjes. Hij opent een fles witte wijn en biedt me een glas aan. We klinken, ik weet niet waarop. Ik ruik het aroma van verse koriander, het doet me denken aan mijn geboortestreek, al ben ik er nooit terug geweest.

'Ik heb het recept gevonden in een Indiaas kookboek.'

Heeft hij het daarom verpakt in aluminium doosjes met kartonnen deksels? Hij kijkt me doordringend maar liefdevol aan.

'We spartelen ons wel door de crisis, mijn cijferprognoses voor het restaurant zien er verbazingwekkend goed uit. Hooguit nog een jaartje of twee en dan draait Haute Cuisine op volle toeren. Dan zijn we van de helft van de schuldeisers verlost. Dan kunnen we een meer ontspannen leven leiden,' fluistert hij.

'Hoe zie jij dat?'

'Een groot huis, een goed draaiende zaak, mijn vrouwtje en enkele kinderen.'

De currysaus hapert in mijn keel. Kinderen? Ik heb er, nu ik tweeëntwintig ben, niet meer over nagedacht. Ik verlang naar een stabiele liefde in mijn leven. Ik wil niet scheiden! Ik kan het toch beter dan mijn ouders? Enerzijds doet Roels uitspraak me opveren, want hij wil definitief met mij verder, maar anderzijds ben ik bang.

'Wat is er, Berlinda?' hoor ik hem liefdevol vragen terwijl hij zijn hand op mijn dijbeen houdt.

'Ik weet het niet goed, het overvalt me.'

'Je hebt me toch altijd verteld dat je zekerheid wil. Wel, die zal ik jou voor de rest van je leven geven. Jij, en niemand anders, wordt de moeder van mijn kinderen. Als we trouwen, word je meewerkend echtgenote in mijn zaak. Jij en ik één geheel!'

Hij wil met me trouwen. Dan zou ik iemand zijn voor hem, en voor de zaak. Een aanzoek uit liefde? Vrijwel onmiddellijk, zonder te wachten op mijn reactie, schuift hij alles van het deken af, legt er twee hoofdkussen op en fluistert: 'Vannacht slapen we onder de blote sterrenhemel, hummeltje.'

Hij houdt me nog een paar minuten vast, en draait zich om, overtuigd van onze gelijke toekomstperspectieven? Is dat zijn idee van een romantische avond? Ik had me dat anders voorgesteld: warmer, intiemer, gelukkiger... Ik blijf staren naar de heldere hemel. Blijf ik bij Roel? Wil ik kinderen met hem? Kan ik dit mijn hele leven volhouden? Ik had eerder al met hartverscheurende keuzes te maken gehad. Zoals in de jeugdrechtbank.

Herfst 1997

Een regenachtige septembermorgen, die je al je energie ont-
neemt, die je doet keren onder het warme beschermende deken.
Moeder gebood ons bij het aankleden 'iets schoons aan te trekken', maar dat leek me een haast onmogelijke opdracht, want ik
had niets schoons. Ik streek zelf mijn afgewassen zwarte jeans en
een roodachtig bloesje. Ik zuchtte toen een van de knoopjes eraf
sprong. Ik had geen tijd om te zoeken of om te wachten tot het
knoopje naar mij toe zou komen gewandeld. Ik loste het op door
er een T-shirt onder te dragen. Terwijl ik de badkamer opruimde
en Ranjans lichtblauwe hemdje stond te strijken voelde ik me
ouder dan elf.

Moeder stak haar hoofd in de deuropening. 'Jullie gaan niet
naar school vanmorgen.'

'Waarom niet?'

'Je zult straks wel zien.' Ze inhaleerde diep van haar sigaret.

Altijd dat eeuwige 'straks'.

In de auto frunnikte ik aan de zoom van mijn te kleine
bloes.

Ranjan wiebelde heen en weer en riep: 'Papa is er ook, kijk!
Daar staat zijn auto!'

'Doe normaal, Ranjan,' beval moeder hem.

'Waarom zijn wij hier samen met papa?'

Moeder haalde haar sleutels uit het contact.

"We zijn bij het gerechtsgebouw van Antwerpen.' Ze zei het
alsof we aan de supermarkt stonden.

'Waarom zijn we hier?' vroeg ik.

'Jullie gaan naar de jeugdrechter, dat is alles.' Ze klapte het portier dicht, trapte haar sigarettenpeuk plat en gebaarde ons uit de auto te komen.

'Wij hebben niks fout gedaan?'riep ik, achter haar aan hollend.

Ranjan kwam naast me lopen.

'Jullie vertellen daar gewoon voor wie je kiest. Voor mij of voor je vader.' Daarmee was de kous alweer af.

Wij liepen achter haar aan, alsof we met een leiband aan haar vastgekoppeld waren. Ik voelde me uiteengereten door een vlijmscherp mes. Er zou altijd één partij zijn die ik moest teleurstellen. Waarom verkondigde ze dat op het allerlaatste nippertje?

Ranjan was al verderop gelopen. Intussen kwam moeder langs me lopen en berispte me om mijn 'traagheid' terwijl ze met versnelde passen het kasseienpad opliep. Weer dat driftige hakgetik. Binnen begon ze in de gang met een man te praten. Haar advocaat, zo bleek.

'Dat zijn mijn kinderen.' Ze lachte, haast té lieftallig om waar te zijn.

De muren, vloeren en trappen van het gebouw waren met marmer bekleed en wekten een kille zakelijke, museumachtige indruk. De smeedijzeren, sierlijke trapleuning voelde koud aan onder mijn handpalmen. Op een van de smalle metalen bankjes in de kleine gang zat mijn vader. Er krulde onmiddellijk een glimlach om zijn lippen toen hij onze opgetogen gezichten zag. Ranjan ging naast hem zitten. Zijn voetjes raakten net de grond niet en wiebelden nerveus heen en weer.

Mijn vader had zijn arm om Ranjan heen geslagen. Ik ging ernaast zitten en pa sloeg zijn andere arm om mij heen. Ik kon wel huilen van die ene simpele aanraking die zó veel voor me was gaan betekenen. Hij stelde ons voor aan zijn advocaat. Die zag er groot uit in zijn toga. Zeker tien centimeter groter dan mijn vader, die al één meter eenentachtig was. De advocaat legde ons uit dat we door verschillende mensen zouden worden ondervraagd. Ten slotte gaf hij elk van ons een bemoedigend schouderklopje. In afwachting gingen we weer op het bankje bij mijn vader zitten. De voetstappen in de gigantische hal klonken hol. Moeder stond verderop nog steeds met haar advocaat te praten, ze keek zelfs niet één keer opzij.

Ik werd als eerste opgehaald door een vrouw die zich vriendelijk aan me voorstelde. Haar mooi geföhnde blonde haar bracht me van de wijs. Ik werd door twee dikke deuren geloodst, die vielen vervolgens achter me in het slot. De luide, doffe knal ervan leek op een kanonschot. Ik had het gevoel dat ik een stand-in voor mezelf aan het spelen was in een actiefilm.

De ruimte was erg groot en licht. De opgeheven hoofden, aan de gigantisch grote eiken tafel, deden me trillen. Ze gebaarden me om op de enige vrijgelaten stoel plaats te nemen.

Toen ik ging zitten kreeg ik het gevoel dat ik wegzakte. Ik voelde me onooglijk, nietig tussen al deze strengogende lui! Ik probeerde mezelf af te leiden door naar buiten te kijken en aanschouwde grote omwallingen rond de vijver waar het de zaal op uitkeek. De man aan het hoofd van de tafel startte de zitting.

'Zo, Berlinda, ik weet niet of je op de hoogte bent van wat hier van je wordt verwacht?'

'Dat ik hier zou moeten vertellen bij wie ik wil blijven wonen?' probeerde ik aarzelend.

'Klopt, Berlinda. Het zal niet gemakkelijk voor je zijn, want we stellen je heel directe vragen, waarop wij een eerlijk antwoord verwachten. Ben je er klaar voor?'

Klaar zou ik hier nooit voor zijn? Toch knikte ik. Mijn woorden werden door iedereen ijverig genoteerd. Een echt verhoor! Een vrouw aan de overkant van de tafel nam het gesprek over.

'Wat vind je goed aan de huidige situatie?'

'Niets.' Op de een of andere manier eisten al die bestuderende blikken eerlijkheid.

'Wat zou je veranderd willen zien?' ging de vrouw naast me verder.

'Ik zou mijn vader meer willen zien.'

'Hoe zou jij dat regelen?' vroeg een man aan de overkant.

'Afwisselend een week bij mijn moeder, een week bij mijn vader.'

'Co-ouderschap is uitgesloten, Berlinda. Je moet een keuze maken.' De mooie blonde vrouw veranderde in een strenge harde tante. Zo voelde het. 'We weten dat dit moeilijk voor je is, maar je moet hier doorheen.' Ik slaagde er haast niet in om te reageren.

'Bij mijn moeder voel ik me op dit moment niet goed. Er zijn te veel dingen gebeurd.' Ik stamelde het haast binnensmonds.

'Hoezo?' vroeg de vrouw. 'Wat is er gebeurd?'

'Mama heeft ons maanden van mijn vader weggehouden.' Ik probeerde mijn woorden te bestuderen vooraleer ik ze uitsprak. Dat leek me verstandig. Ik probeerde de donkere maanden kort te beschrijven, zonder toe te geven aan de opdoemende tranen.

Iedereen noteerde.

'Hoe zorgt je moeder voor je?'

'Ze doet haar best.'

'Is ze er als moeder? Zorgt ze voor je eten, kleding. Luistert ze naar je?' somde de blonde vrouw op.

Daar had je het. Geen ontkomen aan. Ik was nog niet in staat om te schaken met woorden die moeder konden beschermen.

'We eisen jouw waarheid, Berlinda,' viel de man op de hoek van de tafel in. 'Hoe zorgt ze voor je?'

'Weinig.' Ik zei het stil omdat ik bang was mezelf te horen praten. Ik voelde me onwennig en bekeken in mijn te krappe rode bloesje. Ik probeerde het bloesje ongezien recht te trekken. Het lukte me niet.

'Geef ons concrete dingen over wat ze niet doet dan,' ging de man verder. Zijn ogen leken gevaarlijk streng achter die bril.

Met ingehouden stem vertelde ik over mijn kleding en over onze karige voeding. Hun gezichten bleven vragend op me rusten. Had ik nog niet voldoende verteld, dan?Ik had het – met nóg stillere stem – over buiten spelen tot één uur 's nachts. Ik praatte mijn moeder goed door te vertellen dat ze vaak verward kon zijn. Ze hamderden genadeloos door op die verwarring. Ik had het gevoel dat mijn hoofd werd uitgeknepen.

'Wil je nog iets toevoegen?' vroeg een andere vrouw rechts van me, de eerste keer dat ze iets zei.

'Ik voel me goed bij mijn vader.' Meer kon ik niet kwijt. Meer wilde ik niet kwijt.

Ik voelde me uitgeput. Mijn nekspieren deden pijn.

'Kan je ons nog even tot slot uitleggen waarom je jezelf goed voelt bij je vader?' Ik merkte dat ik glimlachte toen ik over mijn vader en over Anne praatte.

De man op de hoek van de tafel legde zijn pen neer, keek me iets langer aan en vroeg: 'Als je écht mag kiezen, bij wie wil je dan wonen?'

Ze respecteerden de stilte die ik even niet ingevuld kreeg.

'Ik wil bij mijn vader wonen.' Het resolute antwoord leek ergens vanuit mijn onderbuik te komen. Mijn hoofd voelde wee aan.

'Goed.' De hamerslag op de hoek van de tafel, vertelde me dat dit gedoe over was.

Ik hees me snel uit de stoel en stapte met zware benen de dikke deuren uit.

Terug in het gangetje aangekomen, zag ik Ranjan druk met papa kletsen en lachen. Ranjan keek erg naar hem op. Ik zag dat ook Ranjan opgewonden was door het idee achter de grote deuren te moeten verdwijnen, maar ik kon hem niet vertellen hoe het was geweest. Daar was tijd noch gelegenheid voor. Mijn vader gaf hem een bemoedigend schouderklopje. Moeder stond nog altijd te praten met haar advocaat. Ik ging naast mijn vader zitten en legde mijn hoofd op zijn schouder.

'Papa, ik heb voor jou gekozen,' fluisterde ik.

Hij haalde mijn hoofd van zijn schouder, en keek me diep aan. 'Echt waar?' fluisterde hij. 'Echt?' Hij haalde zijn handen enthousiast door mijn haar, vergetend dat moeder niet ver van ons af stond. Hij haalde een zakdoek uit zijn broekzak en probeerde in een snel gebaar de tranen, die uit zijn ooghoeken ontsnapten, weg te vegen.

We zeiden niets.

Zijn arm lag nog om de mijne. Mijn benen trilden waardoor mijn voeten tegen elkaar aan tikten. Een kwartiertje later kwam ook Ranjan naar buiten. De blos kwam door zijn getaande huid heen. Mijn vader maakte zijn andere arm vrij en legde die om Ranjan heen.

'Papa, vind je het erg als ik Falco meer wil zien?'

'Ja,' lachte hij. 'Heb je dan voor onze hond gekozen in plaats van voor een van je ouders?'

Ranjan lachte. 'Ook voor jou,' voegde hij er schoorvoetend aan toe.

Papa klemde zijn armen nog steviger om ons heen en gaf ons een kus op ons hoofd. 'Ik ben zo godvergeten blij!'

Moeder kwam onze richting uit gebeend. Voelde ze wat er was gebeurd? Ik voelde me een misdadigster die haar eigen moeder had verraden. Ze legde onze arm om onze schouders heen terwijl ze naar de advocaten en naar mijn vader keek. We keken nog verschillende keren om naar papa. Het beeld vervaagde. In de auto keerde de sfeer vanwege de aanhoudende zwijgzaamheid. Moeders armen van daarnet leken een droom te zijn geweest. Ik voelde me grauw, als wolken die onheil verspreidden.

Ze stopte bij een taverne waar ik nooit eerder was geweest. Het was er kaal: geen gordijnen, geen tafellakens, alles in plastic. Zelfs de bloemen die op ons tafeltje stonden waren nep. Ik bestelde een croissant en cappuccino. Ranjan vroeg een warme chocolademelk. Zijn maag leek nog steeds niet om een kruimel eten te vragen.

De tengere jongedame die ons had bediend, verdween naar de achterkeuken, ver weg van de verbruikzaal. De stationsklok sloeg met luidruchtige slagen elf uur. Geen radio, geen gelach, geen geklets om ons heen, geen normale menselijkheid. Ik voelde mijn handen klam worden terwijl ik ze in elkaar kneep, dus haalde ik ze weer uit elkaar. Ik plukte aan het deeg van mijn croissant, waardoor mijn vingers plakkerig werden. Waar moest ik met die handen naartoe? Nagelbijten. Zoals altijd? Mijn bloesje was doorweekt van angstzweet.

Uiteindelijk keek ik moeder voorzichtig aan, van achter mijn gigantische kop cappuccino. De pupillen in haar grijsgroene ogen leken groter, ze waren nu een poel van bedreiging voor me. Ik hield mijn hand tegen de linkerkant van mijn borstkas, alsof ik de slagen kon doen verminderen, maar mijn hart voelde als een schaafwonde aan.

Ranjan en ik zaten naast elkaar.

Moeder boog zich dichter naar ons; haar vlezige armen lagen over elkaar gevouwen, ver naar voren, net voor haar boezem waarmee ze zo vaak pronkte. Moeder genoot vaak van de blikken die haar taxeerden in overvolle straten of cafeetjes, dat zag ik aan de glimlach die ze onbekende mannen toebedeelde.

'En? Wat heb je gezegd? Toe maar.'

Voelde ze het? Wist ze iets? Ik keek langs haar heen, bang voor elk woord dat volgen zou. Mijn ogen vielen op Ranjan die monotone kauwbewegingen uitvoerde, terwijl zijn onderlip onbedaarlijk trilde. De tippen van zijn voetjes, die net de grond raakten, tikten lichtjes op de kilgrijze tegelvloer. Moeder hield haar strenge blik op mij gericht.

'Wel, Berlinda?' porde ze me aan. 'Komt er nog wat van? Of moet ik het eruit sleuren?'

Hoe moest ik het bekennen?

'Als je zó erg moet nadenken over wat je gezegd hebt, dan deugt het niet!'

'Mama, we mochten niets zeggen van de rechters.'

'Ik ben je moeder! Wel dan?'

'Maar... maar ik heb in de rechtszaal beloofd dat ik niets zou zeggen.'

'Wat hebben die lui meer over jou te vertellen dan ik? Ken je mij niet beter?'

Ik zag dat moeder ongeduldiger werd, ze friemelde aan haar nagels.

'Kunt u mij een café amaretto brengen?'

Het meisje kwam snel met de bestelling.

Tot mijn grote verbazing kieperde moeder de amaretto niet in de koffie maar sloeg ze het spul in één teug achterover. 'Ga je nu nog wat vertellen, Berlinda, of moet ik je een dreun geven tot je echt vergeten bent wat je verteld hebt?' Haar overdonderende manier van doen bracht me nog meer van de wijs.

Er leek zich een blauwe plek in mijn borstkas te vormen.

Ik moest wel antwoorden. Moeder zou niet wijken.

'Ik... ik wilde eerst co-ouderschap, maar ik moest kiezen.'

'Ja, je kunt niet op twee plaatsen tegelijkertijd zijn.'

'Ik heb gezegd dat ik papa meer wilde zien dan nu.'

'Berlinda, draai niet rond de pot! Je weet goed genoeg dat ik van klare taal hou!'

Het serveermeisje kwam de tafel naast ons schoonmaken.

'Nog een café amaretto, alsjeblieft,' vroeg moeder. Het was amper tien over elf. Ik voelde me beschaamd, ze had niet eens van haar vorige koffie gedronken.

'Dus... je wilde meer bij je vader zijn? Van vrijdagavond tot maandagmorgen eens in de twee weken, dan? Daar kan ik mee akkoord gaan, Berlinda.'

'Ik moest een klare keuze maken van de rechter.'

'Toe nu. Stop met dat gejengel en kom to the point, wil je?'

'Ik wilde je geen pijn doen mama, maar ik wil bij papa wonen.'

Oef! Het was eruit!

Haar abrupt ingelaste stilte overviel me. Ik keek opzij, in de hoop dat Ranjan zou invallen, maar die tuurde al de hele tijd naar buiten alsof hij niets had gehoord. Moeder nam een slok van haar nieuwe amaretto, en kieperde er – tot mijn verbazing – een slok koffie achter aan.

'Waarom dan? Wáárom in godsnaam?' Haar stem klonk nu eerder triest dan boos.

'Mama, laat het me uitleggen, alsjeblief.' Mijn keel werd droog van mijn ingehouden adem.

'Wat heb je hier in godsnaam aan uit te leggen? Je beseft niet half wat je me aandoet!' Haar triestheid was kennelijk even snel weer weg. Alles wat ik zou bekennen, leidde hoe dan ook tot herrie. 'Heb ik niet goed voor je gezorgd dan?'

'Je hebt goed je best gedaan, maar ik moest kiezen en...'

'Je kraamt je eigen versie uit, om je zinnetje te krijgen. Je manipuleert en chanteert die rechters!'

'Het spijt me, mama,' hoorde ik mezelf prevelen.

'Spijt? Wat koop ik daar in godsnaam mee? Je beseft niet eens half hoeveel je gekost hebt! Ik heb hard gewerkt voor jouw adoptie! Stank voor dank!'

'Ik heb er niet om gevraagd om zoveel te kosten, nog minder om hier terecht te komen.'

'Spreek me niet tegen, Berlinda!' Ze boog haar forse lichaam naar me toe.

Ranjan had de hele tijd niet opgekeken.

'En jij? Wat heb jij gezegd?' Alweer die dreigtoon.

Ranjan begon heen en weer te schuifelen en probeerde weg te kijken. Het nerveuze geschuifel van zijn voetjes maakte me trillerig. Ik hield de tip van mijn schoenen tegen de zijne aangedrukt als blijk van medeleven en dat bracht zijn voetjes tot bedaren.

'Wel, zeg het dan maar!' riep ze ongeduldig.

'Voor... voor papa,' prevelde hij, terwijl hij van haar weg-keek.

'Waarom dan? Wat heb je geantwoord?' Haar woede leek getemd.

'Omdat ik van Falco hou,' reageerde Ranjan terwijl hij zijn hoofd angstvallig naar beneden hield.

'Jezus allemachtig!' Moeder hakte driftig naar de toog en rekende af. De jonge serveerster keek ons vreemd aan, maar het leek moeder niet te deren. Ze nam mij bij de pols en trok Ranjan bij z'n rechterschouder mee naar buiten. Adrenaline leek het hoofdbestanddeel in mijn lichaam te zijn geworden. Ze duwde ons de wagen in en reed gevaarlijk snel naar huis. Thuis zwaaide ze het portier met een explosieve knal dicht en gaf ons een duw, zodat we sneller vooruit zouden lopen, maar ik struikelde. Eddy's wagen stond er niet. Die was vast gaan werken. Moeder opende de verfomfaaide achterdeur van versleten hout en gebarsten glas, en klapte die even hard als het portier dicht.

Binnen keek ze Ranjan aan, met van die grote glinsterende ogen, en trok hem mee naar de woonkamer. Kleine Ranjan leek een standbeeld, gehouwen uit graniet. Ik zag moeder langzaam dichterbij komen en werd bang van haar bliksemende blik. Alles leek in een vertragingsbeweging te gebeuren. Dat snerende door-dringende gekerm van mijn kleine broertje!

Zijn handjes verkrampt voor zijn edele delen, waar de stilet-tohak van moeder was terechtgekomen. Ze stopte niet. Ze sloeg hem met de vlakke hand in het gezicht.

'Het zal je leren!'

'Stop!' krijste ik terwijl ik me er tussenin gooide. Mijn lichaam leek gevoelloos, alsof ik enkel buffer wilde en kon zijn.

'Bemoei je er niet mee, verraadster!'

Ze ging door. Ranjans schreeuw doorboorde mijn trommelvlies, althans zo voelde het. Ik kon dit niet langer verdragen, niet één seconde. 'Schop mij maar! Ik heb óók voor papa gekozen! Begrijp je nu waarom?'

Ze stopte niet met schoppen en raakte mijn rug, maar ik voelde niets. Omdat ik Ranjan kon beschermen, gleed de pijn van me af. Meer nog, mijn bescherminstinct gaf me een kracht die ik niet eerder had gekend.

'Begrijp je het, mama? Je schopt en slaat Ranjan voor het minste! Je bent zo gemakkelijk boos. We mogen nooit binnen als er een nieuwe man op bezoek is. Je vergeet eten te maken…' Ik gooide het er in één ruk uit. Het kon me niet meer schelen.

Mijn opmerking deed haar kalmeren, ze beende naar haar slaapkamer.

'Mama weent,' zei Ranjan haast toonloos.

'En dan?'

Ik zag hoe tranen van Ranjans wangen rolden, en sloeg mijn beide armen om zijn schouders heen. Wiegde hem zachtjes heen en weer, tot hij tot bedaren kwam. 'Binnenkort is het allemaal over,' troostte ik, hem over zijn schouders wrijvend. Pas toen keek hij me aan, alsof hij me wilde bedanken voor mijn gelijkgestemde keuze.

Weken van wachten, van angst, van veel verwarring, maar bovenal veel schuldgevoel overmeesterden me. Ranjan deelde vaak in de klappen die moeder bleef uitdelen. Ik gooide me dan voor mijn broertje, maar ik kon, tot mijn grote frustratie, niet altijd een buffer voor hem zijn. Ik slaagde er nog minder in om buffer voor mijn eigen kwetsbaarheid te zijn. Ze zei steeds vaker dat onze adoptie een slechte investering was geweest. Ze zou meer dankbaarheid gekregen hebben van een kind van eigen vlees en bloed, zo zei ze keer op keer.

Op verdict van de jeugdrechter konden we onze spullen pakken en uit haar huis vertrekken. Mijn hart werd aan flarden gescheurd toen moeder huilde bij het afscheid aan de achterdeur. Zelfs toen papa erbij stond. We zagen of hoorden haar niet vaak meer. Soms telefoneerde ze heel laat op de avond. Papa zei dan altijd: 'In die toestand praat je niet met ze. Ze liggen bovendien allang te slapen.'

Moeder stortte zich in het uitgaansleven, en dat stemde me enigszins gerust. Ik wilde niet dat ze verdrietig om ons zou zijn. Toch bleef dat allesverterende schuldgevoel wanneer we bij haar waren. Dan herinnerde ze me voortdurend aan mijn ondankbaarheid.

Anne werd onze nieuwe honk. Ze maakte samen met ons het huiswerk. We speelden samen verstoppertje, binnen en buiten. Maar een jaar later liep het spaak tussen papa en Anne. Ik begreep toen niet waarom. Ondanks de breuk bleef ze dagelijks over de vloer komen, omdat ze voor ons wilde blijven zorgen.

Naarmate de tijd verstreek, lukte dat steeds minder makkelijk voor haar, want ze kreeg opdrachten in het buitenland als redactrice van een internationaal magazine. Ik wist niet of ik met het gemis kon leven. Anne was intussen een moeder en maatje voor me geworden. Hoe moest het in hemelsnaam verder zonder haar?

Zomer 2005

'Dank je, Roel,' fluister ik. 'Ik vind het fijn dat je zo je best hebt gedaan voor ons.' Hij is lief voor me geweest door me zo te verrassen met een etentje in de tuin, daar wil ik me aan optrekken.

'Alles voor jou, mijn hummeltje,' antwoordt hij me terwijl hij haastig naar de achterdeur holt. Ik neem een douche. Die deed niet echt deugd, want er was immers geen warm water. Ondanks mijn vermoeidheid voel ik de energie door mijn lichaam stromen.

Het werk gaat me goed af vandaag. Ik snij met het grootste geduld van de wereld de uitjes fijn, knip de verse basilicum in snippers en rooster de pijnboompitten. Vervolgens maak ik de olijfolie aan met verse knoflook en bak de fijne blokjes spek uit. De ideale saus voor de fettuccinipasta die ik vanavond op de menukaart als suggestie zal inlassen. Ik ben er ook nog in geslaagd om naar de bakker te fietsen en de lading stokbrood, wat erbij geserveerd hoort te worden, op te halen.

Roel is de hele middag weg. Hij spreekt met een mogelijke investeerder, die ons sneller uit de nood zou kunnen helpen, en dat idee maakt me energieker. Nadat ik de keuken heb opgeruimd, heb ik nog ruimschoots de tijd te helpen bij de opmaak van de nieuwe folder. Die taak herinnert me aan mijn A1-diploma marketing, dat ik met grootste onderscheiding behaalde. Ik ben enkele uren zoet: photoshoppen, belichting, juiste tekstkeuze en lettertypes, mooie prints maken...

Ik kijk uit naar Roels reactie. Ik heb hem vandaag immers veel kunnen helpen. Tegen halfzes, net voor openingstijd, komt hij met zijn fiets over de kasseisteentjes gedenderd. Hij heeft haast, veronderstel ik, want over een klein halfuurtje staan we weer in het restaurant. Maar toch wil ik nog even naar hem luisteren want ik ben razend benieuwd naar het gesprek met de investeerder. 'Hoe was het gesprek met meneer Van Gelderop?' informeer ik terwijl ik de laatste papiersnippers van het folderontwerp bij elkaar veeg.

'We moeten het zelf redden, vrees ik. Hij mag dan wel bedrijfsleider zijn van Immo-sight België, maar hij is volgens mij niet wijs genoeg om míjn prognoses grondig te analyseren.'

'Hoezo?'

'Bwah, hij vindt dat de leningen te hoog zijn ten opzichte van de omzet die we met ons tweeën kunnen halen.'

Ik voel mijn werklust wegzakken.

'Maar ja,' zegt hij met zijn handen op het aanrecht kloppend, 'wat kent die kerel van een degelijke horecazaak?'

'Misschien heeft hij wel gelijk? Op cijfermatige basis en qua zakelijke ervaring mogen we meneer Gelderop niet onderschatten.'

'Berlinda, ik zou het fijn vinden als je ten minste in mij gelooft, niet in de mooie, rijke meneer Gelderop. We moeten blijven vechten, hummeltje.'

'Dat heb ik vanmiddag nog gedaan, Roel,' zeg ik opgepept, om de sfeer hoopvol te houden. Ik loop naar de bureautafel en hou trots een geprint exemplaar van de folder omhoog. Ik ben tevreden over de slagzin die ik zelf heb bedacht, fier op de foto's die ik van het restaurant heb genomen en vervolgens heb gephotoshopt. Bovendien heb ik rekening gehouden met Roels logo-idee. En ik heb het teamgevoel versterkt omdat ik een zakelijke foto van ons twee op de achterflap heb gezet. Ik ga ervanuit dat potentiële klanten willen weten bij wie ze terechtkomen. Tenminste wanneer je een persoonlijk en exclusief cachet zoekt.

Roel is achter me komen staan. Zijn oppervlakkige, verhitte neusademhaling in mijn nek irriteert me. Ik kijk op en wacht

secondelang op zijn goedkeurende reactie. Hij zucht. 'Berlinda…
Dit wil ik écht niet de wereld insturen.'

Ik verlies even mijn evenwicht en houd me vast aan het
bureaublad. 'Waarom niet?'

'Dit is niet professioneel. Kijk die kleuren dan. En ik hoef
geen foto van ons erop. Bovendien is de tekst me niet commercieel genoeg. En die dure woordenschat hoef je niet de wereld in
te sturen om jezelf te bewijzen, Berlinda.'

Ik word gek van de omhooggevallen Roel. Afgestudeerd in
de afdeling 'kantoor en verkoop', met een attest in bedrijfsbeheer
én een avondopleiding tot kok van één jaar. Wie is hij om me zo
dominerend de les te spellen?

'Hoe bedoel je?' Ik probeer me sterk op te stellen door mijn
handen in mijn heupen te houden.

'Geen fotomodel, dus geen aantrekkingskracht voor de potentiële klant. Blauw straalt koelheid uit. Rood vurigheid. Ik wil er
geen patchwork van maken.' De kalmte snijdt dwars door zijn
woorden heen.

'Het zijn anders wel de kleuren van jouw logo.'

'Dat kan best zijn, maar ik wil die kleuren niet meer gebruiken voor de folder van mijn restaurant. We moeten het anders
aanpakken. Ik wil helemaal van kleur- en logostrategie veranderen. Ik snap echt niet wat ze je op school hebben bijgebracht,'
zucht hij hoofdschuddend. Hij staat op, scheurt mijn print door-
midden en gooit het papier in de metalen pedaalemmer.

'Respect heb jij duidelijk niet in je opleiding gehad. Je zou van
mijn marketingervaring kunnen leren, net zoals wat ik van jou
heb opgestoken.'

'Je lijkt net een katholiek zustertje!' Weer die vernederende
grimas om zijn smalle lippen.

'Je denkt maar van mij wat je wilt. Ik help je niet meer, want
je fnuikt al mijn motivatie.

Ik heb ons folderontwerp trouwens doorgestuurd naar

Melissa, met wie ik ben afgestudeerd. Zij vond het schitterend. En zij werkt dagelijks in de marketing'

Hij reageert met een wegwuifgebaar. 'Daarom heb je nog geen kaas gegeten van een stijlvol restaurant.'

'Ach Roel, dit gesprek houdt geen steek. Je flanst het zelf maar in elkaar. Ik zal vanaf nu nog net genoeg werken om mijn kost- en inwoon in dit hok te betalen.'

Hij gooit zijn stoel naar achteren en komt voor me staan, groot en dreigend. 'Dan zal ik het rekeningetje wel eens maken van alle elektriciteitskosten, waterverbruik, communicatie, voeding, alles!' raast hij.

'Je bent niet redelijk, Roel, de elektriciteitskosten zijn voor drie vierde op rekening van het restaurant.'

'Zo is het genoeg! Je gaat niet opnieuw beginnen.' Zijn vlakke hand gaat waarschuwend omhoog, waardoor ik me op slag stil houd. Hij is kennelijk nog niet klaar. 'Je mag blij zijn dat je bij mij terecht bent gekomen. Toen je thuis wegging was ik je enige mogelijkheid, ik hoop dat je dat respecteert.'

Het heeft geen zin om dit gesprek verder te zetten. Het zou fout aflopen als ik niet zwijg.

Ik zijg neer op de plastic stoel in de keuken en houd me vast aan het bekraste tafelblad. Ik ben de jubelende opmerkingen die ik bij mijn eindwerken van mijn docenten kreeg meteen vergeten. Ik vergeet mijn eindresultaat van meer dan tachtig procent. Ik vergeet hoe trots ik was op mezelf. Was ik maar weer student.

Mijn ogen vullen zich met tranen. Zijn neerbuigende opmerkingen brengen me terug naar Angela, de vrouw met wie mijn vader hertrouwde toen we veertien waren. Zij kneedde mijn identiteit met een hardheid die me tegen deze wereld moest wapenen. Angela bejubelde wel mijn schoolcijfers, maar daar hield het ook bij op.

Voorjaar 1999

Ik was vijftien geworden. Ik ergerde me schromelijk aan die leeftijd, want ik wilde ernstig worden genomen en mijn leerkrachten deden dat niet. Sinds mijn vader er alleen voor stond, deed ik het hele huishouden naast mijn schooltaken. Vaak was dat te zwaar voor me. Ik miste een moeder, een vrouw die me zou beschermen, en had het gevoel dat ik die rol zelf moest spelen voor mijn vader en broer. Ik begreep wel dat Anne aangedaan was door de relatiebreuk, maar ik miste haar meer en meer.

Anne was zo anders dan Angela. Die was cliënte bij mijn vader. Hij hielp haar bij de boekhouding van haar praktijk. Angela was mooi. Haar bruine haar was iets lichter en golvender dan dat van moeder. Ze was minder 'vlezig', wat ik zag aan het stijlvolle bruine mantelpakje dat mooi om haar lichaam heen leek te sluiten. Ik zou haar hooguit 35 hebben geschat, al was ze al 41.

Bij een kop koffie op de bank vertelde ze me over haar baan als jongerentherapeute. Op termijn wilde ze een lifestylecentrum uitbouwen waar ze jongeren kon coachen met adviezen over lifestyle en met therapie. Ze wilde dat jongeren zich beter zouden gaan voelen in deze moderne, jachtige samenleving.

Al gauw kwam Angela haast dagelijks over de vloer. Anne zagen we steeds minder, want ook zij had inmiddels een nieuwe relatie met Peter. Als we Anne zagen, dan zagen we ook hem. Ik was blij dat Anne weer gelukkig was, ik wilde niet dat ze zich alleen voelde na de breuk met mijn vader. Angela vulde de leemte die Anne achterliet met veel liefde en met veel aandacht voor me in.

Bovenal beschouwde Angela me als een jongvolwassen vrouw. Dat liet ze me merken door me over ernstige zaken in vertrouwen te nemen van zodra ze een relatie was begonnen met mijn vader: 'Ik kom hier wonen, want ik wil geen weekendvriendinnetje voor je vader zijn. Ik wil voor jullie zorgen.' Ze zei dat terwijl ze mijn handrug met warme greep omklemde. Het zou vast allemaal beter gaan, nu een echte moederfiguur bij ons introk. Een zware last viel van mijn schouders: ik werd als volwassen aanzien, en de rol van zorgende moeder werd van me weggenomen. Dat voelde goed.

Najaar 1999

Met Angela in huis werd alles anders, vooral op huishoudelijk vlak. Ze zou me opvoeden als vrouw, dat wilde ik, en wel zo snel mogelijk. Een dweil leerde ik schoner uitwringen door hem bij de punt vast te nemen en hem diagonaal uit te knijpen, handdoeken leerde ik op haar manier te strijken, eerst alle tipjes, dan de randen, dan pas de oppervlakte, in minuscule cirkelbewegingen. Het duurde een hele tijd vooraleer haar vouwmethode in mijn hoofd gegrift zat.

'Een tafel was stijlvoller gedekt wanneer ik een eerste tafellaken legde en er vervolgens een tweede in ruitvorm overheen drapeerde, want placemats waren voor armtierige mensen,' bracht ze me bij. De eettafel werd met een degelijk huishoudelijk ontsmettingsmiddel gereinigd en de vaatdoek diende na elke beurt meteen de waston in gegooid te worden. Na het wassen werden de vaat- en handdoeken gesteriliseerd. Ze had daarvoor haar eigen steriliseerapparaat meegenomen. De wastafels in huis moesten na elk gebruik ook met een steriel middel gereinigd worden, want een lichaam draagt veel bacteriën met zich mee. De deurklinken werden dagelijks met ontsmettingsdoekjes behandeld.

Ik had voortdurend het gevoel dat ik op een podium stond. Het leek alsof de wereld andersom draaide nu ik vijftien was geworden. Wat ik al die jaren van Anne had geleerd, werd gedeprogrammeerd. Het lukte me niet altijd om alle veranderingen goed in de praktijk te brengen. Maar ik deed erg mijn best.

Mijn 'look' onderging een metamorfose: geen spijkerbroeken meer, want die waren te meisjesachtig. Geen sneakers meer, want die waren voor spelende kinderen. Geen gekleurde elastiekjes meer in mijn haar, want ik was de kleutertuin toch al ver ontgroeid?

Haar netjes bij elkaar want een loshangend kapsel was iets voor zigeunerinnen. Haar opleiding in stijladvies zou me hier vast een handje bij helpen. Dacht ik.

Ook shoppen kreeg een heel andere betekenis. De eerste winkelnamiddag was er een om nooit te vergeten. We gingen naar de duurste winkels in de chicste Antwerpse straten. Ik was er nooit eerder geweest en voelde me euforisch, als Julia Roberts in *Pretty woman.*

De winkeljuffrouw van Lily Chique begroette Angela alsof ze elkaar al jaren kenden. Ik kreeg een glas prosecco aangeboden, dat steeg me bij de eerste slok al naar mijn hoofd. Ik voelde me kaal met mijn make-uploze gezicht tussen de mantelpakjes van de verkoopsters.

'Hoe kan ik u helpen?' vroeg een blonde verkoopster vriendelijk.

'Niet.'

Typisch Angela. (Toen adoreerde ik haar 'sterkte' nog.) Ze gebaarde me door te lopen. Elk minuscuul schap werd zacht belicht. De witte kleur van de muren en de vele spiegels wekten een ruime indruk.

'Berlinda, meisje, voor jouw figuurtje heb je uitgekiende maten nodig,' zei ze terwijl ze wegliep om kledingstukken voor me te gaan zoeken. Ik scande de winkelruimte af. Op het eerste zicht leek niets me hier te bekoren, al viel ik haast om bij het bekijken van de prijskaartjes. Niets onder de 700 euro!

'Stap de kleedkamer maar in.' Ze was enthousiaster dan ik.

'Maar, Angela, ik heb nog niet eens rondgekeken!'

'Ik ken jouw smaak wel een beetje intussen en ik weet dat je er volwassen uit wil zien. Toe, vertrouw me maar.'

Deze manier van winkelen voelde onwennig aan, ik probeerde er maar van uit te gaan dat ik met Angela een 'personal shopper' onder de arm had. Wie kon dat op mijn leeftijd zeggen? Ik besloot me over te leveren aan haar kunde, ze was immers zelf altijd stijlvol gekleed.

Ze bestudeerde me met die kritische blik, waarvan ik altijd ongemakkelijk werd. 'Meid, je bent vijftien en je hebt de neiging om ter hoogte van je heupen en billen wat te gaan aanzetten. We moeten er gewoon op letten dat we jouw figuur in proportie doen lijken.'

Ze klonk professioneel, maar ik voelde me een microbe onder een vergrootglas.

'In proportie doen lijken,' herhaalde ik inwendig. Ik probeerde de zwaarte in mijn keel met alle macht weg te slikken. Ik was altijd zó voorzichtig geweest in mijn etensgewoonten, opdat Angela geen weerwoord zou hebben. Ik had nooit eerder gewichtproblemen gehad. Meer nog, Anne had me regelmatig gecomplimenteerd met mijn lange slanke benen. Niemand had me ooit te dik gevonden, met mijn 1,62 meter en 51 kilo was ik tot nu toe tevreden geweest.

'Is dat zo?' was alles wat ik nog kon uitbrengen.

'Ja, maar maak je geen zorgen, Berlinda. Ik heb help je wel met het juiste voedingsadvies.'

Angela kwam met me mee in de paskamer, hing haar jas aan een hangertje en haalde haar meetlint uit haar grote beige Louis Vuitton tas. Ik vroeg me af hoe ze in staat was om haar spullen zo snel in die immense handtas terug te vinden. Met de lintmeter mat ze mijn dij-, heup- en tailleomtrek en noteerde zorgvuldig cijfers waarvan ik geen idee had of die binnen de normen lagen.

'Berlinda, je hebt iets langere benen in verhouding tot je bovenlichaam, daarom zou ik je adviseren om vestjes te dragen die net onder je billen komen, die worden dan ook meteen minder geaccentueerd. Twee vliegen in één klap,' klapte ze enthousiast in haar handen, 'je hebt een mooie platte buik, daar kun je dus best wat aansluitende bloesjes verdragen.'

Haar woorden regenden op me neer.

'Wat is er, Berlinda?'

'Ik vind shoppen niet leuk. Ik had me er dit niet bij voorgesteld!'

'Ach, meisje. Je eerste shoptocht is altijd gruwelijk. Maar eens je ziet wat aangepaste kleding met je doet, zul je me prijzen om mijn eerlijkheid!'

Misschien wel.

'Ik ga wat voor je uitzoeken. Ik ben zo terug.' Ze gooide het paskamergordijn achter me dicht. Te laat om te protesteren. De minuten in het pashokje waren ondraaglijk warm en lang. De brede spiegels leken allemaal op me af te stormen. Ik schrok toen ze het gordijn weer opentrok. In één reflexbeweging hield ik mijn handen over mijn halfnaakte lichaam.

Mijn blik viel op de kleding die ze in haar handen hield.

In haar linkerhand hing een klassieke zwarte broek met een lage taille. Over de rechterarm bungelde een witte bloes en een zwarte geklede vest. Ze legde me uit dat de lage taille mijn bovenlichaam optisch zou verlengen en dat de verticale plooi in de pijpen mijn benen smaller zou doen lijken. Ik raakte bewierookt door haar kijk op mijn lichaam.

De witte bloes leek zo groot. Ik voelde me een bodybuildster. De vest versmalde het geheel gelukkig weer een beetje.

Angela stond even later opnieuw in de paskamer.

'En?' Ze wreef hoopvol in haar handen.

'Maat veertig voor de bloes vind ik te groot. Ik durf te wedden dat maat zesendertig ook past.'

'We gaan toch geen kapsones krijgen,' lachte ze.

Mijn verwarring ontging haar, aangezien ze meteen doorging met haar uitleg.

'Je bent er stijlvol mee. Dat heb je niet van je moeder meegekregen!'

Ze verliet de paskamer. Ik trok alles aan. De bloes kwam tot ver onder mijn heupen. De brede mouwen ervan maakten mijn armen dik. Of waren ze nu in proportie met de rest van mijn lichaam? De knoopjes ervan waren in kopergoud. Ik kon maar beter niet zeggen dat ik vond dat ik er clownesk uitzag. Aan de kassa rekende ze alles af. Mijn geweten speelde op toen ik zag hoeveel ze voor alles moest betalen. Ik gaf haar een knuffel om haar vrijgevigheid.

Vervolgens loodste ze me een dure schoenwinkel in. Mijn sportschoenen pasten niet onder die kleding, daarin moest ik haar gelijk geven. Ze liet me schoenen met naaldhakken passen. Mijn God! Daar zou ik nooit op kunnen lopen, maar het voelde goed groter en eleganter te zijn. Van moeder zou ik ze vast nooit hebben gekregen op mijn vijftiende. Tijdens de terugrit vertelde ze me dat ze veel van kleding had geërfd van haar moeder, die couturier was.

Ranjan kwam bij me op de kamer. Het was lang geleden dat hij me daar nog kwam opzoeken. Hij plofte met een diepe zucht op mijn bed neer. 'Berlinda, Angela maakt alles zo anders. Ze is zo dominant.'

'Hoe bedoel je?'

'Ze bepaalt alles. Verhongerde kippen zouden blij zijn met het eten dat ze ons voorzet. Ik niet. Die gestoomde broccoli, dat rotstinkende zeewier tussen de rijst. Bah!' Hij spuwde de woorden uit.

'Maar, Ranjan, ze bedoelt het goed. Ik moet bovendien twee kilo kwijt.'

Wat? Wie heeft je met die onzin opgezadeld?'

'Gewoon… ik zie het aan mijn kleding.' Ik had geen zin om erover uit te wijden.

'Alsjeblief, Berlinda! Wat maakt zij jou in vredesnaam wijs. Je kleding is zo oubollig geworden. Als je ooit een vriend hebt, zul je vast en zeker een verpletterende indruk maken,' grijnsde hij. Hij stampvoette mijn kamer uit.

Begin voorjaar 2000

Onze tuin grensde aan grote paardenweiden. Ik hield van de lindebomen die voor verkoeling zorgden. Vanuit het eerste gedeelte van de tuin, kon je precies kijken op een oneindig aantal hectaren paardenweides. Terwijl ik daar onder de pergola zat te lezen, werd ik opgeschrikt door een hels lawaai. Ik hoorde scherven kletteren gemengd met het geluid van schril geroep: de stem van Angela! Wat was er gebeurd?

Ik stond rechtop, liep naar het terras aan de veranda en bleef prompt veraf van de scène die er zich afspeelde. Angela stond bij de tuintafel, waar mijn vader en Anne een kop koffie dronken en werk bespraken. Papa verzorgde intussen de boekhouding van Annes freelance redactiewerk.

'Je kunt ook thuis een kop koffie drinken en je werk bij tijd en stond doormailen, nee?' Ik had Angela nooit eerder zo uitzinnig tekeer zien gaan. Anne bleef stilzwijgend zitten. Ze leek de hysterieaanval, tegen haar gericht, als toeschouwer te benaderen.

Ik keek beduusd om me heen en zag dat de scherven van het servies van Boch ver uitgespreid over de ruwe terrastegels lagen.

Het servies was een erfstuk van mijn grootmoeder. Mijn vader verloor zijn moeder toen hij amper eenentwintig was. Dit kon toch gewoon niet? Niet opnieuw! Ik deinsde terug, en verschool me achter de lindeboom in de achtertuin.

Het gierende geluid waarmee Anne de oprit afreed deed me nog erger trillen. Minutenlang? Urenlang? Ik kon me in elk geval niet meer concentreren op mijn boek. In de verte hoorde ik mijn vader en Angela nog ruziën. De stem van Angela overstemde alles, al kon ik niet verstaan wat ze zei. Erna bleef het urenlang stil. Was papa weggereden? Waarom? Ik snapte er niets meer van.

Ranjan, die met zijn beste vriend was gaan sporten, was gespaard gebleven van de hele heisa. De ruzie leek niet te zijn gebeurd. Enkele dagen later zag ik papa en Angela weer knuffelen als vanouds. Ik snapte nog minder van die 'grote mensenzaken'. De enige constante die verdween was Anne. Ik miste haar.

Toch leerde ik, ondanks alles, 'wennen' aan Angela's aanwezigheid. Ik had niet zozeer het gevoel dat ik een 'moeder' had gevonden, eerder een oudere zus of een innige vriendin die me wegwijs maakte in het leven, die steunde, naar me luisterde en me raad gaf. Zo vertrouwde ze me ook steeds meer 'vrouwendingen' toe. Ze legde me uit over de pil en dat die de kans op borst- en baarmoederhalskanker erg zou vergroten. Angela vertelde me dat ze na haar 'goedaardige kanker' met de pil was gestopt. Ze bracht me ook bij dat de pil me minstens vijf kilo zwaarder zou maken, door hormonale veranderingen.

Hoe moest ik me dan wel behoeden voor ongewenste zwangerschap? Kon ik dan nooit een vriend hebben? Ik trachtte mezelf te sussen met de gedachte dat het probleem nog niet aan de orde was. Zouden al deze vragen me beletten om verliefd te worden? Overdonderend verliefd. Dat wilde ik ooit worden.

Winter 2006

Ik staar voor de derde keer naar mijn pilstrip en voel iets diep in mijn onderbuik uitzetten en weer samentrekken. Het kan toch niet dat ik deze maand drie pillen verloren ben geraakt? Toch ook niet toen ik bij Melissa was, dat ene weekend dat Roel met Ronny naar Brussel op stap ging?

Ik zoek mijn mobieltje en bel Melissa om even in de badkamer te checken. Tevergeefs. Wanneer ben ik die pillen dan in hemelsnaam kwijtgeraakt? In een bui van razernij? Verdriet? Nee, hier ben ik steeds zo secuur mee. Ik ben helemaal niet klaar voor kinderen. Ik maak me bovendien zorgen dat ik al meer dan een week over tijd ben. Spanning stijgt vanuit mijn onderbuik en nestelt zich in mijn bonkende schedel. Het kan toch niet. Ik ben nog maar amper zeven maanden samen met Roel!

Hij komt de badkamer in. 'Hé, ik wacht op je. Ik wil je voelen, bij me hebben. Jou vasthouden.' Hij komt achter me staan en trekt mijn haar bij elkaar. In twee staarten. 'Zo zou je mooi zijn. Nog schattiger. Dit kapsel past meer bij je kleine, fijne gestalte.'

Hij kijkt verliefd. Zijn handen glijden als hete kolen over mijn lichaam. Dan weer langzaam over mijn ribben, naar mijn taille. Ik zink weg in oncontroleerbare tintelingen. Mijn spieren trekken zich samen onder zijn gigantische handen. Maar ik weiger voor mezelf toe te geven dat het de enige sensatie is. Nu moet ik het erover hebben, niet later. Ik ben niet in de mood om met hem nu verder te gaan!

'Roel, ik heb een probleem,' zeg ik voorzichtig.

'Je hebt er vaak wel meer dan eentje. Je moet niet over alles zoveel nadenken.' Hij verpakt het in een grapje.

'Mijn pil, Roel. Ik ben er een aantal kwijtgeraakt en mijn ongesteldheid komt niet door.'

Hij draait me met een bruuske ruk naar zich toe. 'Dat is toch fantastisch, hummeltje van me! We kunnen maar beter de natuur haar gang laten gaan! Je zult jong moeder worden! En zo ben ik nog niet te oud om op te voeden. We redden het allemaal wel met Haute Cuisine,' jubelt hij opgetogen. Hij trekt me steviger tegen zich aan. Ik wil verdrinken in zijn opgetogenheid. In zijn liefde voor mij en zijn ogenschijnlijk geruststellende kijk op het leven. Maar ik kan het niet.

'Roel, het lijkt me beter dat we niet in een onbezonnen moment over kinderen beslissen.'

'Hoezo? Komt wat komt, toch?' Zijn opgetogenheid wijkt nog steeds niet.

'Ik ga morgen naar een apotheek en haal voor alle veiligheid een morning-afterpil. Ik ben nog maar 22. Ik heb alle tijd.'

'Dat meen je niet, Berlinda! Zeg dan gewoon meteen dat je helemaal niet verder wil gaan met mij. Anders had je wel een kind van me gewild.' Hij trekt zijn gezicht in een krampachtige grijns en laat me met een plotse ruk weer los, zo snel dat ik even mijn evenwicht dreig te verliezen.

Ik houd me vast aan de lavabo en kijk hem recht in de ogen: 'Roel, dit heeft niet met onze relatie te maken. Ik zal me zekerder voelen wanneer de zaak op poten staat.'

'Vertrouw je dan niet op mijn kundigheid? We redden het wel! Ik heb gisteren nog een uitgebreid plan opgemaakt. Over een goed jaar zijn we eruit. Tegen dan zou jij bevallen zijn en zo ben ik tenminste nog geen ouwe zak van veertig.'

Ik schrik niet zozeer van zijn taalgebruik, wel steeds meer en meer van zijn bizarre levenshouding. 'Ik voel me nu niet klaar om kinderen te hebben. Ook niet over negen maanden. Ik heb tijd nodig. Ik ga morgen, bij openingstijd, naar de apotheek voor de morning-afterpil.'

'Meen je dat?' Weer die sceptische blik.

'Ja.'

'Je beseft niet half dat de kans erg groot is dat je abortus pleegt. Waar is je geweten in godsnaam naartoe?'

Ik voel mijn bovenbenen beven. Ik trek een bezwete lok achter mijn oor. Zó erg is het toch niet! 'Je hebt me in het begin van onze relatie gezegd dat je zekerheid met mij wil. Wel Berlinda, ik wil met jou verder voor de rest van mijn leven. Ontgoochel me alsjeblieft niet.' Zijn intonatie is niet waarschuwend, maar zo voelt het wel aan. Hij wil met mij verder. En ik wil ooit kinderen. Misschien. Ooit. Misschien nooit. Mijn gedachten dwalen af naar waarom ik mijn anticonceptiepillen verloor. Ben ik ze wel verloren? Of zijn ze gewoon verdwenen?

'Roel?'

Hij kijkt weg.

'Heb jij die pillen uit mijn strip gehaald?' Ik besef heel erg goed dat ik me nu op riskant terrein begeef.

'Wat?' Hij trekt een ongelovig gezicht.

'Het is maar een vraag. Jij wil hier en nu kinderen.'

'Wat insinueer je eigenlijk?' vraagt hij met dichtgeknepen ogen.

'Niets, ik vraag wat ik vraag.'

In één flits staat hij nog dichter voor me. Groot, breed geschouderd, beangstigend, zijn krachtige hand tot een vuist gebald. Ter hoogte van mijn gezicht.

'Hou op met mij zo te beschuldigen.'

Ik tril nog harder dan ik al deed maar tracht mezelf in bedwang te houden. Ik blijf ogenschijnlijk stoïcijns staan. Ten slotte draait hij zich om en loopt luid stampvoetend de kamer uit.

De vuist. Ze blijft voor mijn ogen dansen.

Ik voel me hol vanbinnen. Was mijn vader er nog maar. Ik herinner me de wijsheid die hij me meegaf, toen ik vijftien was.

'Als iemand ooit een hand naar je opheft, dan stap je gewoon op. Dat hoort niet in een normale relatie.' Roel had meer dan zijn hand naar me uit gestoken. Zijn vuist. Op enkele centimeter van mijn gezicht gebald gehouden. Dit is niet met mij gebeurd. Dit is niet mijn leven. Ik mis papa. Kon ik nu maar rekenen op zijn raad. Ik zou minder toestaan. Dan zou ik Roel verlaten, want dan zou papa boos op me zijn geweest omdat ik blijf. Ik zou door hem zoveel wijzer zijn. Nu ben ik niks. Papa, sorry. Ik weet dat je meer van me zou hebben verwacht.

Najaar 2000

Er werd op onze klaslokaaldeur geklopt. Het geroffel had iets ongeduldigs. De directrice – niet groot van gestalte, met een strenge bril op haar scherpe neus – deed van ver teken naar me. 'Berlinda?' Haar strenge stem deed me huiveren. Als je bij haar moest komen betekende dat meestal niet veel goeds. Mijn hart hamerde in mijn keel. Haar doffe hakgetik echode oorverdovend luid in de gang. Een eindje verderop in de gang bleef ze stilstaan. 'Je stiefmoeder Angela is hier,' zei ze zakelijk terwijl ze me boven haar dikke brilglazen heen even aankeek.

'Waarom?'

'Ze zal het je zelf wel vertellen,' antwoordde ze, terwijl ze met haar korte benen weer snel voor me uit tikte. Wat deed Angela op dit uur op school? Waarom kwam de directrice me uit de les halen?

Ik zag Angela in het kleine rokerige bureautje zitten. Ze draaide zich naar me om en glimlachte, maar ik meende te zien dat ze gehuild had. Ze liep op me af en gaf me een knuffel.

'Wat is er, Angela?'

'Je vader,' snikte ze. 'Ik vond hem kermend op de grond in de woonkamer.'

Mijn benen worden meteen slap.

'En?'

'Ik heb hem naar de spoedgevallendienst gebracht. Hij zou een levercrisis hebben gekregen.'

'Waar is hij nu?'

'Nog steeds in het ziekenhuis. Ze onderzoeken hem op dit moment. Ik heb je directrice gemeld dat ik je meeneem naar het hospitaal,' zei ze terwijl ze haar hand naar me uitstak om met haar mee te lopen.

Mijn vader lag op de intensieve afdeling. Daar konden we hem enkele uren niet bezoeken. Die hele middag bleef ik met Angela in de gang zitten wachten. Het zeurende getik van de langzaam voorbijschuivende wijzers.

Ik keek naar de gehaaste dokters in hun lange jassen die door de gangen heen raasden. Hoop. Wachten. Kijken naar de tikkende klok. De ondraaglijke geur van zieke mensen, in combinatie met de geur van ontsmettingsproducten, maakte me misselijk. Toen ik mijn hand uitstak naar de stapel tijdschriften, tikte Angela op mijn vingers: 'Laat dat, Berlinda. Dat papier is een haard van bacteriën hier.'

Ik zuchtte. Die ene kop koffie, waarvoor ze me ook had gewaarschuwd, had me nog nerveuzer gemaakt dan ik al was.

Elf voor zeven. Ik zag een dokter met vertraagde stap naar ons toe komen. Eindelijk! Ik ging naast Angela staan. Zijn donker krullende haar viel net voor zijn oogleden. Hij veegde het nonchalant opzij met een gespierde hand. 'U bent de vrouw van meneer Geerink?'

'Ja!' antwoordde ze met opgeheven schouders.

'Ik heb geen goed nieuws, vrees ik.' Hij wreef zijn handen krampachtig in elkaar.

'Hoezo?' vroeg Angela.

'Hij zal wel weer helemaal bij bewustzijn komen, maar we hebben metastasen in de lever en hersenen ontdekt. Deze zijn te ver gevorderd om ze met chemotherapie te behandelen. Incisies zijn eveneens uitgesloten.'

'Incisies? Metastasen?' Ik wilde alles begrijpen nu het om mijn vader ging!

'Berlinda, alsjeblieft,' berispte Angela me op een stille maar geïrriteerde toon. 'Dát hoor je al te weten.'

'Een incisie is een operatie. Metastasen zijn kwaadaardige gezwellen,' maakte de dokter me duidelijk.

'En wat nu?' reageerde Angela.

'Als hij stabiel blijft, kan hij over een goede week naar huis toe. Dan kunnen we, met inzet van thuisverpleegkundigen, kijken hoe we hem verder kunnen verzorgen. We gaan een sterk pijnbestrijdingschema opmaken.'

'Niets meer dan dat?' vroeg ik.

'Nee, helaas.'

'Hoe lang duurt alles nog?' wilde ik weten.

'Dat kan niemand zeggen. Ook wij niet, maar gezien de vrij agressieve tumorvormen lijkt het me onwaarschijnlijk dat meneer Geerink dit jaren kan volhouden.'

Ik keek voorzichtig naar Angela. Haar mond stond zó gespannen, alsof het met elastiekjes was opgetrokken. De dokter maakte aanstalten om ons een hand te geven en liep vervolgens door. Zijn voetstappen maakten een akelig piepend geluid op de vinylvloer.

Dat was het dan?

Morgen zou dit afschuwelijke heden nooit hebben bestaan.

Met verlamde tred liep ik naar het bed van papa. Ik kon haast niet geloven dat hij zo ziek was. Alles was plots zó ontegensprekelijk allemaal. Ik streelde over zijn grijzende slapen.

De slangetjes die aan zijn neus waren bevestigd, gaven hem een hulpeloos uitzicht. Zo had ik hem nooit eerder gezien. Het getik van de hartmonitor leek op kanonschoten.

De dokter stak zijn hoofd weer in de deuropening. 'Juffrouw, uw tijd is om,' constateerde hij op zijn horloge.

'Wanneer mag ik bij hem terugkomen?'

'Morgen.' Hij liep even gehaast weer weg.

Toen ik de kamer verliet, zag ik Ranjan. Ik zag dat hij aanstalten wilde maken om met me te praten, maar de aanwezigheid van Angela hield hem kennelijk tegen.

'Dag Ranjan.'

'Dag Berlinda.' Hij bliksemde Angela weg met zijn blik.

'Blijf jij thuis als papa hier lang moet blijven?'

'Nee. Ik logeer vanaf vandaag bij de ouders van Alexander, zo lang hij ziek is. Ik mocht ook naar Anne toe gaan, maar ik wil haar niet lastig vallen nu ze met Peter samen was. Zoals je weet woont Alexander ook niet ver van Anne af.'

'Je kunt toch gewoon blijven? Ik weet dat je Angela niet geaccepteerd hebt, maar het kan altijd wel beter gaan.'

'Nooit van mijn leven!' reageerde Ranjan. 'Niet bij Angela!'

'Ranjan! Alsjeblieft!'

Niet nu! Ik wil geen onvrede. Het zou zoveel fijner zijn als Ranjan en ik nog verder samen zouden opgroeien!

'Het is zo. Bovendien wil ik niet leven met Angela. Niet één dag.'

'Geef het een kans,' smeekte ik. 'Dan zijn we weer samen in één gezin.'

'Je kunt ook bij de ouders van Alexander komen wonen. Dan zijn we ook één gezin,' siste hij terwijl hij driftig de ziekenhuisgang uit beende. Hij verdween in de verte.

Angela en ik slenterden iets later, arm in arm, het hospitaal uit. De lucht was in een onweerstemming. De wind sloeg onder mijn vastgebonden haar. Een vreemde koude trok van aan mijn kruin langzaam door mijn lichaam. Angela legde haar arm om mijn schouder heen. Thuis was niet meer 'thuis' zonder de stem van papa.

Die avond sliep ik bij Angela in het grote bed. Ze omarmde me. De lichaamswarmte van haar schoot voelde veilig aan, maar toch kon ik de slaap niet vatten. Het getik van de klokwijzers maakte me angstig. Hoe lang zou papa nog leven? Had hij veel pijn?

Het ochtendgetjilp van de vogels klonk schel in mijn oren. Ik wilde opstaan, maar elke vezel in mij weigerde dienst. Angela had mijn schooldirectrice verwittigd dat ik afwezig zou blijven. Ik dacht niet alleen aan mijn vader, ook aan Ranjan. Hij had niets meer van zich laten horen. Moeder daarentegen verbaasde me met haar telefoontje.

'Ik heb het gehoord van je vader,' zei ze. 'Angela heeft het me verteld.'

'Het is onomkeerbaar. Ik kan het niet vatten.'

'Dat is het leven, meisje. Mensen komen en mensen gaan.' Ze antwoordde me alsof ze het over een stervende kip had.

'Het gaat om papa!'

'Ja, ja natuurlijk. Ik begrijp dat jij het niet makkelijk hebt,' herpakte ze zich.

'Je blijft bij Angela, heb ik begrepen.'

'Ja, dat lijkt me het beste. We hebben elkaar de afgelopen tijd niet vaak meer gezien hé, mam.'

'Misschien heb je wel gelijk. Eddy en ik hebben toch ook zo weinig plaats in ons appartement. We kunnen ook niet over verhuizen nadenken, want de scheiding van Eddy met zijn vrouw kost aardig wat duiten! Ik heb het Ranjan ook uitgelegd.'

Ze dacht er niet eens meer over na. Ik was beter af met Angela. Zij wilde met hart en ziel voor me zorgen. Moeder had geen tijd. Geen geld. Geen zin meer? Binnenkort zou ik geen adoptieouders meer hebben.

Angela kwam op me toegelopen. Ze legde een arm om me heen. 'Meid. We hebben elkaar. Wij komen hier samen door-heen!'

Ik liet haar los en ging naar mijn kamer. Mijn middenrif voelde als een blauwe plek. Papa. Hij zou binnenkort niet meer zijn. Nooit meer.

Bij het avondeten begon Angela over 'de praktische kant van zaken'. Daar had ik niet erg veel boodschap aan op dit moment!

'Ik ben gisteren met je vader naar de notaris gereden en

heb alles geregeld. Vooral in functie van jouw en Ranjans toe-komst.'

'Hoezo?'

'Je vader is niet meer verantwoordelijk voor zijn daden, nu er ook nog hersentumoren zijn ontdekt. Daarom heb ik hem bege-leid in het verstandig beheer van zijn nalatenschap.'

Ik begreep er nog steeds niets van. Papa was steeds boekhou-der geweest!

'Kijk,' zei ze, 'ik beheer de som van de levensverzekering, tot op de dag dat jullie 25 zijn, afgestudeerd en bij volle rijpheid. Tegen die tijd zullen jullie dat geld goed kunnen gebruiken. Bij-voorbeeld om te bouwen of om een huisje te kopen.'

'Wat vindt papa ervan?'

'Het leek hem verstandig dat de levensverzekering zou geïn-vesteerd worden in jullie belang. Het gaf hem een geruststellend gevoel. Zo zei hij.' Als pa het zo goed vond, dan kon ik enkel af gaan op zijn vertrouwen. En op dat van Angela.

Het deed vreemd om een gigantisch ziekenbed in de woonka-mer te zien staan op de plaats waar eens en zolang onze grote ovalen eettafel stond. Onze diners werden vertroebeld door de chemische stank van de ontsmettingsalcohol en door de ziekte die zurigheid verspreidde.

Ik ging de trap op en klopte op Ranjans deur. Geen geritsel van een stripboek waarvan hij de bladzijden omsloeg. Zelfs zijn ademhaling leek te zijn verdwenen. Ik trok de deur iets verder open. Leegte! Geen stripboeken meer. Muren zonder posters, enkel de restjes van de tape. De gesloten luxaflexgordijnen lieten geen licht meer binnen. Een bureau zonder potloden. Weg was Ranjan de tekenaar! Naar de ouders van Alexander.

De weken die volgden gingen pijlsnel aan me voorbij. Mijn alertheid in de klas staakte voortdurend. Ik voelde me uitgeblust door het huilen en het piekeren. Papa was nu bijna twee maanden ziek. De grasperken leken bezaaid met ironisch zonlicht. Er klonk vrolijke muziek, veel te zomers voor mijn stemming. Ik wilde mijn vingers in mijn oren duwen en mijn ogen dichtknijpen, maar ik ontkwam niet aan de gure realiteit. De brancard. De slangetjes. De zakjes met sondevoeding. Het oneindig aantal doosjes met pijnbestrijders.

De lente viel haast ongemerkt in. Ranjan en ik stonden langs zijn ziekenbed in de woonkamer. Elk aan één kant. Ik was blij dat Ranjan en ik weer *on speaking terms* waren. Papa zette zich recht. Ik reikte hem dikke stutkussens aan.

'Kinderen van me. Jullie waren het allerbelangrijkste voor me, mijn hoop, mijn overlevingskracht, mijn drijfveer. Het doet me verschrikkelijk veel pijn dat ik jullie handen veel te vroeg moet loslaten.'

De verdorven doodse stilte hing in huis als de stank van de rottende ziekte. Die werd zelfs intenser. Ik slikte de zwaarte in mijn keel weg, maar hoe meer ik slikte, des te meer hoofd- en nekpijn ik kreeg.

Papa ging verder: 'Wankel alsjeblieft niet. Weet dat ik, overal in het leven, steeds naast jullie zal blijven staan. Je moet alleen maar goed luisteren. Zorg er in elk geval voor dat jullie een mooie toekomst opbouwen.'

Weer die vermorzelende stilte, hard echoënd in mijn hoofd.

'Blijf alsjeblief steun vinden bij elkaar. Keer elkaar niet de rug toe.'

Wat betekende de 'toekomst' als hij er niet meer was? Zijn trotse hand? Zijn bemoedigende woorden? Als hij er niet meer was, dan werd er een deel van mij geamputeerd. Ranjan schrikte me op uit mijn gedachten. Hij gooide zich op zijn knieën en legde zijn hoofd op de broze borstkas van mijn vader. Ik hoorde de wegterende ribben onder Ranjans hoofd kraken. Hels. Alsof de pijn zich in mijn lichaam had genesteld.

'Papa! Ga niet weg! Hoe moet het verder?' schreeuwde Ranjan

met kapotte stem. Hij trachtte zijn tranen weg te vegen met de mouwen van zijn donkerrode trui. Enkel korte snikjes waren hoorbaar.

'Kerel van me. Alles komt goed met jou!' Pa's hand lag op zijn haar. Zoals toen. In de jeugdrechtbank. We hadden voor hem gekozen! En uitgerekend híj viel weg! Ik kreeg het warm en koud te gelijkertijd. Mijn vader sloeg één arm om Ranjan heen. Met de andere omhelsde hij mij. Langzaam kwamen Ranjan en ik weer recht. Ranjan hield zijn handen tegen zijn slapen aan. En prevelde: 'Alles draait.' Zijn ogen tolden. Ik was te laat om hem vast te grijpen. Hij stuikte neer. Theo, zijn pleegvader, nam hem mee. Mee. Naar hun huis.

Het was precies tien voor zeven toen ons gigantisch huis in een lome stilte weg leek te zinken. Papa zakte weg. De huisarts kwam hem, voor de zoveelste keer, bezoeken.

'Het duurt niet lang meer. Hij is in een comateuze toestand gegaan.'

'Coma!'

Het woord echode betekenisloos door mijn hoofd. Ik zette de cd van Paolo Conte op, zoals mijn vader me had gevraagd te doen wanneer ik zou voelen wanneer hij stervende zou zijn. Hij had me ook gevraagd om de ramen en deuren open te zetten, zodat hij 'weg kon vliegen'. Ik liep naar de stereo en merkte op dat papa de cd zelf al bovenop had gelegd.

'Max' weerklonk uit de luidsprekers, het liedje waarin Paolo een overleden vriend bezingt. Conte's brommende, mompelende stem bracht me in een roes. Ik luisterde en zong. Papa's hand lag in de mijne. Ik wilde die warmte voor altijd vasthouden. Om tien over tien belde ik naar 'de nieuwe thuis' van Ranjan. Francesca, zijn pleegmoeder, vertelde me dat Ranjan een zware dosis valium had gekregen. Hij was nog steeds niet bij bewustzijn. Na het telefoontje liep ik weer naar papa toe.

Ik nam zijn – inmiddels lauw geworden – hand in de mijne en wiegde deze zachtjes heen en weer. Paolo zong nog steeds onverstoorbaar verder. Plots, terwijl ik voor me uit staarde, voelde ik hoe zijn hand een knijpreflex maakte. 'Dit is een uiterst zeldzaam teken,' zei de verpleegster, die mijn vader nauwlettend in de gaten hield.

De cd van Paolo speelde nu voor de derde keer. Negen voor twaalf's nachts. Opnieuw 'Max'… Paolo leek het te fluisteren. Dat monotone gezucht moest nog 'levensadem' voorstellen. Bij elke moeizame ademhaling leek zijn lichaam steeds dieper in de matras te vallen. Zucht. Langgerekt. Piepend. Snerend. De laatste.

Ramen, deuren en stereo mochten open. Papa's ogen werden nu definitief gesloten.

'Papa!'

Ik schreeuwde het met gesmoorde stem. Ik wachtte met volle ongeduld op antwoord. Tevergeefs.

Die nacht sliep ik samen met Angela opnieuw in hun grote bed in de lege slaapkamer. Zijn mooie lichtblauwe hemd hing nog over de stoel, alsof hij het morgen weer aan zou trekken. Het zachte getik van zijn gouden horloge dreunde in mijn hoofd. Tijd was een gestoorde verrader voor me geworden.

Angela viel vrijwel meteen in slaap. Mijn ogen daarentegen bleven wijd open, al deden ze pijn van de slaap. Ik kon er maar niet aan wennen dat papa levenloos in de woonkamer lag. Morgen zou hij toch gewoon weer aan de ontbijttafel zitten, toch? Ik zou de troostende geur van vers gemaakte espresso zo dadelijk weer ruiken.

Met die sussende waangedachte viel ik iets voor zessen in de ochtend in een vederlichte slaap. De ochtendzon scheen meedogenloos in mijn kamer en maakte me wakker uit mijn illusies. Hij was niet wakker geworden. Het huis evenmin. Geen espresso-aroma. Ik kneep mijn ogen harder dicht, alsof ik zo de herinneringen krampachtiger kon vasthouden. De muziek was gestopt met spelen en zijn lichaam lag roerloos op het witte ziekenbed. Het geluid van de ochtendvogels had hem niet meer doen ontwaken.

Ik zag Ranjan weer op de bank in de woonkamer. Zijn grauwgrijze uitstraling verontrustte me. Zijn ogen waren zwaar opgezet van het huilen. Ik ging naast hem zitten, maar het bleef even angstig stil tussen ons. 'Het is net of hij nog slaapt, maar toch wordt hij niet meer wakker.' Zijn tong leek verdoofd door de valiumshot.

'Nee, Ranjan. Hij wordt nooit meer wakker.'

Ik zei het meer om mezelf er attent op te maken dat de weerzinwekkende realiteit gelijk had. Ranjan en ik bleven even op de vertrouwde bank zitten, elk een arm om ieders schouder geslagen. De huisdokter was er opnieuw, dit keer om het overlijden te bevestigen.

'Papa! Word wakker en spreek die verdomde dokter tegen!'

Maar ik bleef stil.

'Papa!' Ik hoopte dat hij mijn hees gehuilde stem nog zou horen.

Geen zucht. Geen goedkeurende hand. Geen lach.

De papa die steeds twee zakdoeken bij zich had, waarvan ik er steeds eentje kreeg om te duimen. De papa bij wie Ranjan en ik elke avond op een knie mochten gaan zitten, om zijn zelfgeschreven verhaaltjes te beluisteren over musjes die in boomstronken woonden.

De papa die op mijn dertiende nog steeds gewoontegetrouw twee grote zakdoeken bij zich had, maar dan ééntje om me te troosten bij mijn eerste liefdesverdriet. De papa die me zijn eigen liefdesverdrietervaringen vertelde om me het gevoel te geven dat hij me begreep. De papa die me te eten bracht wanneer ik ziek was. De papa die een mama tegelijkertijd kon zijn als het echt nodig was. De papa voor wie wij nooit ouder zouden worden dan zestien.

Voorjaar 2001

Hij was nu vijfentwintig uren dood. Precies vijfentwintig uren zonder noemenswaardige slaap, zonder honger, zonder enig normaal levensbesef. Angela troostte me, met eeuwenoud geduld. Hield me vast. Wiegde me heen en weer, zoals een moeder zou doen.

Ik voelde me heel even geborgen.

Niet veel later had Angela had een verrassend gesprek voor me in petto. Het gesprek zorgde ervoor dat mijn 'trek' in haar gekunstelde gerecht van kikkererwten, wortelen en quorngehakt over was.

De begrafenis van papa. Ik wilde het er nú even niet over hebben.

'Berlinda, ik neem aan dat het genoeg is als we enkel de kerkdienst bijwonen, maar niét de begrafenis zelf.'

'Waarom niet!' Ik legde mijn vork en mes prompt neer en stopte met kauwen.

'Kijk, voor mij is het heel eenvoudig. De dood is vrij relatief. Je vader zal blijven bestaan in je herinnering. Maar vind je niet dat een lijk onder een koude grafsteen wat luguber is?'

Ik veerde op. Ik schrok van haar vreemde kijk op de dood.

'Een lijk, Angela? Het gaat om papa!'

Ze negeerde mijn geschokte reactie en ging verder: 'Het is een heel gedoe in deze maatschappij om een dood lichaam te vereren. Waarom moeten we stilstaan bij iets wat er niet meer is? We kunnen maar beter koesteren wat we wel nog hebben.'

'Maar Angela,' zei ik, 'papa zou echt gewild hebben dat we op zijn begrafenis zijn!'

'Ik vind, Berlinda, dat als we de wil van mensen bij leven niet altijd respecteren, dat we dat bij de dood ook niet hoeven te doen. Wel?' Ze praatte meer in zichzelf dan tegen mij.

'Hoe bedoel je?'

Ik vind het bovendien nogal ver van hier naar Heverlee.'

Dat was toch niet te ver voor de begrafenis van mijn vader nota bene! Hij was er geboren en getogen!

'Ik kan ook meerijden met Francesca en Theo. Of met Anne?' opperde ik.

'Dan ben ik helemaal alleen.' Heel even meende ik te zien dat ze echt triest was. Ik wilde niet dat Angela zich tegen me zou keren. Ze zorgde immers voor me.

'Ik zal niet lang blijven.'

Ik hoopte dat ze voor alsnog van mening zou veranderen!

'Berlinda, ga je nu echt mee in die automatische mallemolen van de kortzichtige maatschappij? Jij bent toch ruimdenkender?'

Ik probeerde met alle kracht een gegronde reactie te verzinnen, maar het lukte me niet. Uiteindelijk, na haar monoloog die meer achtergrondgeroezemoes voor me was geworden, besloot ik om maar niet mee te gaan. Ik wilde geen herrie. Ik probeerde mezelf te troosten met het feit dat ik genóég had gehad aan het beleven van zijn dood.

Enkele dagen na de begrafenis kreeg ik een telefoontje van Ranjan.

'Hoorde je er niet bij te zijn eergisteren?' zei hij.

'Ik weet het niet.' Opnieuw voelde ik de inwendige blauwe plekken opdoemen.

'Hoe, je weet het niet? Papa's begrafenis!'

'Ik koester papa in mijn herinnering. Niet via een koude gedenksteen.'

'Mooi zo, Berlinda! Dit zou papa gewaardeerd hebben.'

'Ranjan,' zuchtte ik moedeloos.

'Wat, ik heb toch gelijk?'

'Ik weet het niet.'

'Berlinda, ik hoor de woorden van Angela in jouw stem.'

'Ranjan, ik heb mijn eigen mening. Wil je die alsjeblieft respecteren?'

'Dat Berlinda, dat kan ik niet.' Ik háátte die ontegensprekelijke triestheid in zijn stem.

Ik drong aan op een weerzien met hem. Alles zou makkelijker verlopen zonder telefoonlijnen tussen ons in. We spraken af. Verward liep ik terug naar de keuken waar Angela met het eten bezig was. Ik had geen zin in de zuurkoolsoep met een grof gesneden en hard gekookt ei erdoorheen. Voer voor uitgehongerde konijnen, schoot het weer door mijn hoofd.

'Angela, ik zie Ranjan overmorgen. We hebben afgesproken in het centrum van Antwerpen.'

'Waarom niet hier?' De argwaan in haar blik deed me slikken. Ik wist intussen dat ze steeds licht ontvlambaar werd wanneer ik iets deed dat zij niet graag wilde.

'Hij wilde met mij alleen afspreken, als broer en zus even bijkletsen.' Ik zei het op een zo normaal mogelijke toon.

'Behoorlijk achterbaks.'

'Het gaat niet goed tussen Ranjan en jou, Angela. Dat is altijd al zo geweest.'

'Hij zou zich tenminste kunnen openstellen voor mij. Hij heeft nooit de moeite gedaan om me te accepteren!' Haar stem steeg in volume. Ik zweeg. Het zou vast wel overgaan. Hoopte ik. Ze keerde me de rug toe. Het driftige getik van de metalen lepel in de soepketel bracht me nog meer van de wijs.

Niet veel later verhuisden Angela en ik naar een grote villa in hoevestijl in dure randgemeente van Antwerpen. Angela had de hoeve met grote stallen achterin de gigantische tuin gehuurd. De tuin was minder mooi dan diegene die we bij papa hadden.

Februari 2006

Mijn allereerste Valentijn. Alles opgefokt gezellig in de aangeklede en verlichte stadstraten. Opgefokt, want het gaat nog steeds niet goed tussen ons, al zijn Roel en ik inmiddels negen maanden samen. De eenvoud van de brasserie doet me goed. Weg uit de sleur van Haute Cuisine. En bovenal: zeer spaarzame tijd met Roel! Alleen wij twee. Een gelegenheid om weer even naar elkaar toe te groeien, hoop ik. Ik wil vergeten. Maar ik kan het niet. Mijn overspannen zenuwen gaan met me op de loop.

Roel bestudeert de menukaart, smijt die langs zich heen en bestelt. Uitsluitend voor zichzelf. Ik gooi mijn bestelling erachteraan, spaghetti bolognese. De ober loopt weg, maar Roel roept hem luiduchtig terug. 'Hé, kunt u mij de krant brengen, alsjeblieft?'

'Roel! Het is Valentijn!' Ik kan mijn verontwaardiging niet onderdrukken.

'Heel eventjes de krant lezen kan toch geen kwaad? Ik heb de hele dag gewerkt en heb dus nog niet eens vernomen wat er zich in de wereld afspeelt!'

'Jij weet perfect wat er zich in de wereld afspeelt, maar heb je jezelf ooit eens afgevraagd wat er zich in mij afspeelt?'

'Berlinda, toe nou. Geniet nu van ons samen zijn! Samen zijn is niet altijd lekker samen kletsen.'

Na enige stilte haalt hij een lok voor mijn gezicht weg en zegt: 'Je weet toch dat ik van je houd. Kom toch op!'

Weet ik dat echt?

Zelfs de ober kijkt Roel ietwat onbegrijpend aan, wanneer hij de krant in Roels grote handen schuift.

'Mijn zorgenhoofd' wordt voller. Mijn hart steeds leger terwijl ik hem observeer. Hij haalt zijn hand weg, legt de krant open en staart naar de prentjes. Zo lijkt. Eten en lezen op restaurant. Alsof het de normaalste zaak van de wereld is. Ik word zenuwachtig van het getik van zijn mes, waarmee hij zoals steeds monotoon tegen het tafelblad aan tikt. Hij heeft wel meer van die stereotiepe gedragingen, zoals dat schudden met zijn hoofd, wanneer hij zich geen houding weet aan te meten.

Ik heb ruzie met de pastaslierten die niet om mijn vork willen blijven zitten. De tomatensaus spat alle kanten op, tot tegen de achterkant van de krant. Hij kijkt op, met een geïrriteerde blik, om er vervolgens weer even snel in weg te duiken. De avond gaat in een snelle 'schrokbeweging' aan me voorbij. Sterren schijnen flets op ons neer terwijl ik meters achter Roel aan fiets op weg naar huis. Zo leven we al wéken. Hij vér voor me uit.

Bij zijn thuiskomst plant Roel zich opnieuw achter de pc. Ik kan me nog steeds niet neerleggen bij zijn overgrote pc-interesse. Gelaten stap ik de draaitrap op en kleed me uit. Ik bekijk mijn lichaam in de gebarsten spiegel. Misvormd? 'Ik ben voor de hand liggend'. Valentijn. Mijn eerste. God wat een carnavalsbedoening!

Ik lig intussen bijna een uur in bed. Het wollen prikdeken voelt zwaar op mijn huid aan. Mijn hart bonst van ingehouden ongeduld. Nog steeds geen Roel… Zoals bijna gewoonlijk. Ik registreer met lede ogen de eenzaamheid die in de kale slaapkamer over me heen walst. Misschien moet ík het gewoon over een andere boeg gooien? Ik besluit mijn meisjesachtige ondergoedsetje met Droopyprint, dat hij voor me kocht, aan te trekken.

Ik draai mijn lange haar in twee staarten. 'Lolita's' zoals hij intikt op de zoekpagina's op het internet. Ik wil mooi zijn voor hem. Ten slotte doe ik toch wat lipstick op, want mijn kinderachtige look is te erg in strijd met mezelf.

Ik loop de trap af. Het is niet evident op deze onafgewerkte metalen treden te balanceren op blote voeten. Mijn hart klopt voor het eerst sinds lang van aangename opwinding. Misschien onderneem ik de laatste tijd te weinig? Ik ga naast hem staan aan de pc, zet lacherig mijn handen tegen mijn heupen, en kijk hem uitdagend aan. Ik zet één been op zijn bureaustoel.

Nu kan hij haast niet meer naast me kijken! Maar toch. Hij kijkt niet op. Niet eens half.

Hij blijft driftig op de pc-muis klikken. Stomme figuurtjes flitsen op het scherm voorbij.

Vechtlustige kraalogen. Grote tanden. Vuilgroene monsters! Ik erger me dood aan de stomme snerende biepgeluiden.

'Roel!' haal ik hem uit het computerspel.

'Jahàaa, wacht Berlinda! Ik zit hier volop in een gevecht. Ik heb bijna gewonnen! De hulk is bijna dood!' Zijn ogen blijven op het scherm gericht, zijn vingers fanatiek klikkend op het versleten laptopklavier.

Ik wacht niet meer en loop de trap weer op met een zwaarte in mijn keel die niet te beschrijven valt. Wat beteken ik voor hem? Doet het hem werkelijk niets? Ik haal gefrustreerd de zwarte mascara van mijn gelaat, trek mijn ondergoed uit en duik onder de koude lakens. Roel komt een dik halfuur later boven. Ik doe alsof ik slaap. Ik voel zijn handen door mijn haar heen gaan. Maar ik blijf voor dood liggen. Kent hij dat gevoel van negatie?

'Berlinda, toe praat tegen me.'

'Roel, jij leeft in je eigen wereld. Je zoekt me op wanneer het je past!'

'Berlinda, meisje, ik geef toe dat ik mijn liefde voor jou niet kan tonen. En dat spijt me...'

Zijn bekentenis doet me bijkomen uit mijn onbegrip. Mijn gevoel wordt bevestigd.

'Wacht even hier, wil je?'

Alsof ik nog enige zin heb om van onder het beschermende deken te komen!

Enkele seconden later staat hij weer in de kamer en klikt vervolgens de volle tl-lamp aan.

'Roel, verdorie het is twintig over vier in de ochtend! Ik ben moe!' zeg ik terwijl ik mijn ogen met mijn handen afscherm.

'Wacht, draai je nou even om, toe!'

Met veel tegenzin draai ik me op mijn linkerzij, en probeer mijn dichtgeplakte ogen halfopen te krijgen. Hij houdt zijn handen op de rug en zijn ogen lijken te glimlachen. Het lijkt alsof hij door me heen staart.

'Wat is er dan?' vraag ik ongeduldig en geërgerd tegelijkertijd.

'Tada!'

Ik schrik me te pletter van het pluchen hartkussen dat hij tevoorschijn tovert. Mijn handen verplaatsen zich van mijn voorhoofd naar mijn mond om mijn lachreflex te verbergen.

'Ik toon hiermee mijn liefde voor jou.' Hij zegt het mechanisch. Jezus! Moet ik nu blij zijn?

Ten slotte tast hij in zijn veel te grote pyjamabroekzak en zegt: 'Ik heb nog iets voor jou!'

Het interesseert me géén éne moer meer! Hij gooit een lolly, met bloemetjesmotief op ons bed neer.

'Waarom lach je nu, Berlinda?'

'Roel, denk je nu echt dat ik een kind van vijf ben, dat te paaien valt met lolly's en pluchen harten? Ik wil liefde!'

'Godverdomme, Berlinda! Ik kan ook niets goed doen voor jou!' Als een mokkend kind trekt hij zijn hoofdkussen van het bed af en loopt stampvoetend naar de woonkamer. De stilte vertelt me dat hij op de bank slaapt.

Ik kan niets meer plaatsen. Ik woel. Mijn spieren voelen stram aan, alsof ze van gewapend beton zijn. Mijn hoofd zit vol vliegen. Ik zou gelukkig moeten zijn! Maar ik ben het niet. Het enige verschil is dat ik niet half besefte dat het leven bij Angela verdomd zwaar was. Dat zag ik eenvoudigweg niet. Ze gaf me het idee dat ik geen enkele reden meer had om ongelukkig te zijn. Behalve het verlies van papa. Behalve dat ik mijn broer niet meer zie. Behalve haar kritische kijk op wie ik moest worden. Behalve haar vele stemverheffingen. Theoretisch maakte Angela me gelukkig: zij gaf me een opvoeding en ving me op wanneer papa stierf. Wie zou dat anders doen? Zij kocht kleding voor mij en gaf me knuffels.

Zomer 2001

Ik leerde hoe sarcastisch een sterk verlies zich kan manifesteren. Alles ging verder, behalve mijn hart. Dat wilde enkel huilen. Ik kon maar niet vatten dat mijn vader dood was. Van mijn moeder hoorde ik vrijwel niets meer toen ze uiteindelijk toch met Eddy was getrouwd. Ik voelde me er niet rouwig om. Zo hoefde ik me niet meer druk te maken om zijn handtastelijkheden. Angela en ik trokken in die periode intens veel met elkaar op.

Ik had steeds minder behoefte aan mijn vriendinnen want ik leek nu mentaal mijlenver van ze af te staan.

Zaterdagmiddag. We gingen om boodschappen, zoals nu de nieuwe gewoonte was. In de supermarkt dwaalden mijn gedachten steeds weer af. Naar mijn vader. Ik kon geen espresso voor hem uit het rek te halen. De Franse kaasafdeling was nu verboden terrein. Evenals de pasta-afdeling. Ik dacht terug aan de geur van gebakken spek. Angela wilde niet dat ik bij zou komen.

'Berlinda!' Met zo één scherpe opmerking kon Angela me zo weer op aarde gooien.

'Zou jij niet ook eens wat inladen, in plaats van wat te staan dromen! We hebben geen bruine bonen, sla en sojaburgers meer.'

Ik 'absorbeerde' haar bevel totdat we klaar waren met het afhandelen van de, door haar, minutieus opgemaakte boodschappenlijst. Ongeroutineerd legde ik alles stuk voor stuk op de transportband. Angela keek wat om zich heen. Terwijl ze afrekende, laadde ik alles in de plastic zakken. Ik had haar strenge blik niet in de gaten.

'Berlinda. Hoe heb ik je de vorige keer geleerd dat je moet inladen?'

Ze sloeg me in het gezicht met haar luid uitgesproken woorden, maar nog veel meer door haar opzichtige gedrag. Ze kieperde alle zakken die ik had ingeladen ondersteboven. Ik verstijfde.

'Hoe?' herhaalde ze luid en nadrukkelijk terwijl ze me strak bleef aankijken. Paniek! Ik was het vergeten! Als Angela zo woest was, dan kon ik de klappen die niet werden uitgedeeld – zo op de schrale huid van mijn wangen voelen.

'Eh…' was alles wat ik kwijt kon.

'Vlees bij het vlees. Groenten bij de groenten. Rijst, brood en pasta bij elkaar. Wasproducten in een aparte zak. Hoe vaak moet ik dat nog herhalen?' Haar stem klonk schril.

De kassajuffrouw liet de muntstukken die ze in handen had prompt vallen en haar vingers stopten met het uitzoeken van kleingeld. Ze staarde me meelijwekkend aan. Ik verdiende geen medelijden! Ik had beter moeten nadenken! Ik keek om me heen en zag dat mensen achter ons in de rij ons aanstaarden. Dit keer niet om Angela's uiterlijke opzichtigheid van sieraden en make-up.

Ik voelde me een dom kind. Ik richtte mijn blik op de omgekeerde boodschappenmassa en laadde omgekieperde etenswaren zo snel mogelijk weer 'correct' in zonder om me heen te kijken. In de auto ging Angela weer verder over koetjes en kalfjes alsof er niets was gebeurd. Ze parkeerde de auto bij de voordeur en maakte geen aanstalten om uit te stappen. In plaats daarvan was er weer die doordringende, bestuderende blik. Ik kromp ineen.

'Meid ik heb het soms heel moeilijk met jouw stemmingswisselingen. Ik moet bijna toch gaan geloven dat jij je puberteit nog volop aan het beleven bent. Ik weet soms ook niet meer hoe ik met dat afwezige gedrag van je moet omgaan. Ik geef je alles wat je maar wil. Ik ben er als een moeder voor jou. Ik sla je niet, hoewel je het soms verdient. Ik luister en geef je raad. Ik kook elke dag gezond voor je en ga vaak met je winkelen voor nieuwe kleding. En zelfs dan nog ben je niet gelukkig.'

Kon ik nu nooit wérkelijk gelukkig zijn? Lag het allemaal aan mij? Ze kletterde het portier hardhandig dicht. De knal klonk als een pistoolschot. Ik liep snel achter haar aan om de boodschappen uit te laden. Na het opruimen van de boodschappen liep ik naar mijn bureaukamer toe, onder het mom te moeten studeren. Daar knapte ik. Ik begreep Angela's reacties niet. Ik begreep mezelf niet. Het lag vast aan mezelf. Ik was nog jong, onervaren en vooral kwetsbaar.

Met Ranjan had ik in die tijd veel contact. We schreven elkaar en belden elkaar af en toe. Hij kon mijn medicijn zijn. Ik het zijne. Ik belde hem met het voorstel dat Angela had gedaan om Ranjan mee te nemen op vakantie naar Saint-Tropez. Mijn blijdschap kon niet op! Mijn vaders 'tweede thuishaven'!

Ik zat op hete kolen te wachten. Ik hoopte zo vurig dat we daar samen een fijne tijd konden bleven. De herinneringen, de omgeving, de zon, de langgerekte stranden en de vissersboten. De grote haven waar we vroeger samen naar de immense woonboten hadden gekeken. De fietstochten in het broeierige weer. De geur van zonnebrandolie. Espresso!

Ik wachtte dagenlang op het antwoord van Ranjan. Hij wilde zelf wel, maar zijn pleegouders waren niet met het voorstel opgezet omdat Angela de scène in elkaar had gestoken. Hij mocht uiteindelijk mee. Een kans om onze band weer aan te halen! We genoten van het vooruitzicht, maar meer nog van onze versterkte band. Alles zou goed komen tussen ons. Ik trok me op aan de gedachte dat we samen tegen het verdriet konden vechten.

We logeerden in het familiehotel vlak bij het strand. Mijn vaders vrienden hadden hun hotel verkocht aan nieuwe eigenaars. Ik staarde naar de houten tuintafeltjes waar mijn vader zijn krant las en zag er de rieten stoeltjes waarop hij eens met

gelukzalige glimlach had gezeten, kauwend op een croissant, dik besmeerd met boter. Even leek het alsof ik dat troostende aroma van zijn espresso nog kon ruiken. Alles leek te zijn blijven bestaan. Behalve hij.

De eerste dagen trokken Ranjan en ik veel met elkaar op. De gezamenlijke herinneringen brachten ons weer dichter bij elkaar. 's Avonds, tijdens de wandelingen in de pittoreske straatjes, leek het even alsof het onze wereld was en papa weer naast ons liep. Ranjan en ik keken beiden op naar de opvallende sterrenhemel. Het gejoel van de toeristen verstomde.

In tegenstelling tot wat Angela voor ogen had, verliep het contact tussen haar en Ranjan steeds slechter. Angela en ik deelden een kamer. Ze streelde me door het haar en zei: 'Ik heb een onverklaarbare lotverbinding met jou. Dat heb ik niet met Ranjan.' Ik voelde me weer heel even geborgen. Die ene seconde. Haar beschermende, liefhebbende hand. Wat moest ik zonder?

Ranjan verviel in stilzwijgen. Dit ging de verkeerde kant op! Wanneer Ranjan zweeg, kookte hij inwendig. Hij voelde het getouwtrek feilloos aan en liet ook mij links liggen en ging in zijn eentje naar de vrienden van pa toe om niet alleen te zijn. Naast de verwarring werd ik ook angstig en verdrietig tegelijkertijd. Ik had me deze reis zó anders voorgesteld! Ik reeg de dagen met 'hoop op betere tijden' aan elkaar. Maar de sfeer keerde niet.

De terugreis was huiveringwekkend. Onze terugvlucht verliep zeer gespannen. Angela liet Ranjan aan zijn lot over. Het inchecken. De bagage. Hij moest ons volgen. In het geroutineerde sneltempo van Angela. Angela liet Ranjan uiteindelijk staan op het vliegveld van Deurne met de boodschap: 'Je hebt nu onze hele vakantie verpest. Ik had goede bedoelingen met je. Ik hoef jouw puberaal gedrag niet te tolereren. Je hebt voor die pleegouders van je gekozen en je bent meegegaan om ons uit te horen over de levensverzekeringskwestie. Echt laag van je, Ranjan!' schreeuwde ze. 'Echt laag!' De mensenmassa in de hal van de vlieghaven keek geschokt om. Angela waande zich nog in Frankrijk, ze dacht dat niemand verstond wat ze Ranjan toeschreeuwde.

Hij schopte driftig met de punt van zijn schoenen tegen het onderstel van de stoeltjes aan, maar repte nog steeds geen woord. Angela zette haar monoloog verder. 'Bel maar naar die pleegouders van je. Je vindt je weg wel terug vanuit Zaventem. Ik heb schoon genoeg van jou!' riep ze waarbij ze mij krachtig aan mijn hand meetrok naar de buitendeuren.

'Wacht nog even!' riep ik wanhopig uit, naar mijn broer omkijkend. Ik stribbelde tegen. Ten slotte liet ze mijn hand los en liet me teruglopen. Mijn ogen zochten wanhopig naar hem in de krioelende massa. Tevergeefs. De scène met Ranjan leek niet te hebben bestaan. Mijn ogen zochten radeloos naar hem, maar mijn zicht bedroog me niet. Hij was wég!

'Alles komt goed,' fluisterde ik in mezelf, terwijl ik Angela's gehaaste tred trachtte te volgen. In het naar buiten lopen, keek Angela me met grote ogen aan en zei: 'Ik neem aan dat hij zal bekoelen als die irriterende puberteit van 'm achter de rug is!'

Buiten was het steeds harder gaan regenen. Enkele plukken, die uit mijn opgestoken kapsel vielen, hingen mistroostig langs mijn gezicht. Ik trachtte mijn brandende oogleden tot rust te brengen, maar hoe meer ik de tranen binnen hield, des te meer Ranjans gebroken gezichtsuitdrukking op mijn netvlies kleefde.

Het leven was zo afschuwelijk ironisch! Ik zag Ranjan voor het eerst op het vliegveld van Zaventem, toen hij arriveerde uit India. Het was toen half juni. Ik herinner me nog dat ik een roodwit gestreept katoenen jasje droeg. Papa vertelde later nog me dat ik duimend op zijn arm had gezeten, terwijl we door het grote glazen raam staarden, wachtend op het vliegtuig waarin mijn broertje zou arriveren.

Elke lichtflits van opstijgende en landende vliegtuigen viel me op. Het was toen vroeg in de ochtend en nog donker, maar men had voorspeld dat het een warme dag zou worden.

Eindelijk – na wat urenlang wachten leek – maakte mijn vader een einde aan mijn ongeduld:

'Daar,' wees papa, 'daar komt je broertje.'

Nu zou ik hem hier voor het laatst zien. Ik wilde dat ik mijn brandende tranen en mijn hart, met de snelheid van een lichtflits, op een vliegtuig naar 'Niemandsland' had kunnen zetten. Het was augustus. In mijn hoofd een van de koudste december-dagen uit mijn leven.

Na de thuiskomst klapte ik volledig in elkaar. Emoties leken te zijn afgevlakt. Mijn lichaam ging voortdurend gebukt onder helse maagpijnen. Na een grondig maagonderzoek bleek dat ik te kampen had met een gigantische maagzweer. Angela nam in die weken weinig tot geen patiënten aan. Ze zorgde intensief voor me. Ze maakte vers eten klaar, dat 'maagvriendelijk' was, en luisterde naar me. Ze stopte me onder en was bezorgd. Zíj was er voor me, meer dan een moeder kon zijn. Alles komt wel weer goed.

Telkens ik alleen was, zette ik U2 op, de muziek die Ranjan adoreerde. Terwijl ik er intens naar luisterde viel ik in een roes van veilige kinderherinneringen. Ik verafschuwde de 'geschoolde theorieën' van Angela in die periode. Zeker wanneer ze het had over mijn zogenaamde 'puberteit' omdat ik teruggetrokken was geworden. Waarom bevestigde ze me dan steeds opnieuw in mijn maturiteit wanneer ik assertief reageerde naar moeder toe? Ze had me geprezen om het feit dat ik verder was dan mijn 'oppervlakkige leeftijdgenoten'. Wilde ze nu écht dat er enkel een wereld tussen haar en mij bestond?

Herfst 2001

'Ik heb iets beslist.' Het kaarslicht verspreidde een knusse sfeer in het Italiaanse restaurant.

'Wat heb je beslist?'

'Ik heb vandaag met de huisbazin gesproken. Ze wil onze huurwoning verkopen. Ze is veel te oud wordt en ze heeft geen kinderen om het huis na te laten. Ik heb besloten dat ík het koop.'

'Kopen?' vroeg ik verbaasd. 'Hoe dan?'

'Je vader heeft me toch genoeg nagelaten met de levensverzekering?'

'Maar hoe zie jij dat dan?' Ik snapte er nog niet veel van.

'Mijn bedoeling is jou het huis na te laten. Later. Wanneer ik er zelf niet meer ben. Tegen die tijd kan jij nog beslissen of je Ranjan erin wil laten delen. Ik neem aan dat je verstandig genoeg bent om weloverwogen beslissingen te nemen tegen dan.'

Er viel opnieuw een stilte, waar we beiden even in gedachten leken te verdrinken. Ik plukte zenuwachtig wat sla op mijn vork. Het blaadje viel er steeds weer vanaf. Angela had haar salade nog steeds onaangeroerd laten staan en ging verder zonder mijn reactie af te wachten.

'Bij deze gelegenheid wil ik jou ook waarde voor geld meegeven.'

'Hoezo?'

'Met de driehonderdduizend euro die ik van je vader heb gekregen, kom ik natuurlijk niet rond om het hele huis te kopen en te renoveren. Denken we maar aan de ramen die te oud zijn en de keuken en badkamer mogen wat moderner zijn.'

'Wat bedoel je dan? Zou je de ramen, badkamer en keuken laten veranderen?'

'Ja, door vaklui en in duurzaam materiaal. Ik denk erover om vloerverwarming in de badkamer te laten installeren. Je begrijpt wel, dit kan ik zeker niet alleen bekostigen. De levensverzekering van je vader dekt enkel de basiskosten van de renovatie.'

Wist ik veel. Ik had geen flauw benul van verbouwingskosten.

'Ik stel voor dat jij vanaf nu na school gaat bijwerken, zodat je spaart voor je eigen huis later. Het mijne nu dus. Je beschikt daardoor over veel meer verantwoordelijkheidszin dan je leeftijdsgenoten die voor Vespa's en auto's sparen! Het is bovendien een investering van blijvende waarde. Je vader zou trots op je zijn als zijn nagelaten levensverzekering op een verstandige, groeiende manier zou worden besteed.'

Hij had het misschien bewust aan Angela overgelaten omdat zij een nuchtere kijk leek te hebben op zaken? Ze ging verder. 'Ik reken erop dat je zo verstandig blijft als je nu bent. Ranjan hoeft dit niet te weten. Hij is nog te onberedeneerd en bazuint alles meteen het hele dorp rond. Hij heeft een verkeerd beeld over de levensverzekering. Het komt mij toe en ik ben oud en wijs genoeg om het te beheren.'

Misschien wel?

'Wat denk je ervan om je werk aan huis te hebben? Geen files. Laat opstaan. Geen dominante managers. Je kunt je uren zelf bepalen.'

Het klonk als een sprookje.

'Ik had aan het volgende gedacht,' zette ze haar geordende planning verder, 'jij en ik zouden een perfecte tandem kunnen vormen. Ik neem de gesprekstherapie voor mijn rekening en jij alle stijladviezen om mee te starten. Ik geef je de basis mee en voor de rest stel ik voor dat je wat avondcursussen gaat volgen.

We kunnen er een 'commerciële zaak' van maken die inspeelt op de moderne noden zodat jouw marketingstudie haar vruchten afwerpt.'

'Het lijkt me een aantrekkelijk concept,' gaf ik schoorvoetend toe.

'Meid, ik zal jou een toekomst geven. Ik ben het je vader verschuldigd.'

Angela's plannen leken me weloverwogen, maar...

'Angela?'

'Ja.'

'Stel dat ik een vriend krijg, waar ga ik dan wonen?'

'Dat is toch simpel!' riep ze uit. 'Jij behoudt toch gewoon je bovenste verdieping. Die richten we dan ook meteen in als volwaardig appartement. De benedenruimte wordt onze werkruimte, en op de eerste verdieping leef ik. De keuken houden we dan gemeenschappelijk.'

'Maar dan leef jij zo klein.'

'Het feit dat jij een goede toekomst tegemoet gaat is belangrijker voor mij.' Bovendien, 'ging ze verder, 'heb ik zo mijn eigen kijk op samenwonen.'

'Hoe bedoel je?'

'Stel dat je de liefde van je leven al zou tegenkomen dan is samenleven ook een kunstmatig gegeven. Het is gewoon door de mens in het leven geroepen omdat je nu eenmaal trouw, en dus "opgevoed" hoort te zijn. Gevoelens voor een ander zijn "vies" in de ogen van de maatschappij. Kijk naar het dierenrijk. Zij kennen geen trouwnonsens. Ik geloof er sterk in dat je relatie veel boeiender blijft als je niet op elkaars lip leeft. Je moet elkaar blijven verrassen. Als je niet samenhokt, blijft je partner jou steeds boeiend genoeg vinden. Dan hoeft hij geen spanning meer te gaan zoeken elders. Mensen blijven toch jagers! Net als dieren.'

'Word je van dat alleen leven echt gelukkig?'

'Geluk moet je bij jezelf vinden. Niet in een relatie, Berlinda.

Je moet voor jezelf weten dat je het helemaal alleen kan redden. Met jouw zaak aan huis kan jij dat perfect! Jij hoeft niet bang te zijn.'

'Hoe komt het dan dat je tóch nog met papa getrouwd bent?'

'Meisje, er is één ding dat een mens niet onder controle heeft.'

Ik luisterde.

'Verliefdheid. Het sleurt je mee. Ik wil jou hiervoor behoeden. Wees gewoon verstandiger dan ik. Zoek iemand die zijn rede niet te snel verliest. Zelf zul je dat ook nog wel leren in het leven. Ik zal je daarin steunen, tot zo lang ik leef.'

'Heb je daarom geen kinderen?'

'Ja, inderdaad. En bovendien heb ik niet erg veel geduld en zin om me met kleine kinderproblemen bezig te houden.'

'Zal ik dan nooit kinderen hebben?'

'Dat moet je helemaal voor jezelf uitmaken, Berlinda.'

'Ik heb nog tijd.'

'Dat heb je zeker. Maar eerst wordt het hoog tijd dat jij vrouw gaat worden!' lachte ze.

'Hoezo?'

'Het wordt tijd dat jij jouw eerste seksuele ervaring opdoet. Dan pas ben je echt vrouw. Je bent nu achttien voorbij.' Ze zei het alsof ik bijna te oud was om ontmaagd te worden. 'Je hoeft niet bang te zijn. Ik leg je bijtijds alles wel uit.'

Alles bijtijds uitleggen? Was het dan zo moeilijk allemaal? Ik wilde er nog niet over nadenken. Mijn gedachten gingen naar Frederik. Ik droomde van hem. Ik droomde ervan dat hij me zou vasthouden. Knuffelen totdat ik me veilig zou voelen in dit verwarde leven. Over meer droomde ik niet. Meer kende ik nog niet.

'Ben je verliefd?' Angela veranderde in een giechelende tienermeid toen ze me aankeek. Ik kon het niet meer ontwijken.

'Jahààà!' lachte ze.

Ik gaf schoorvoetend toe. Hoe zou ze reageren? Zou ze me voor 'stom' verklaren?

'Dat is fijn voor je meisje. Zorg ervoor dat hij je mee uit vraagt.'

'Hoe dan?' Mijn hart daverde in mijn keel bij de gedachte eraan.

'Flirt met hem wanneer je in zijn buurt bent.' Ze zei het alsof het zo doodgewoon was.

Ik voelde me te trots om te vragen hoe ik dat precies voor mekaar moest krijgen.

'Weet je dat dan niet?' lachte ze ongelovig terwijl ze mijn gezicht bestuderend opnam.

Ik haalde mijn schouders op.

'Wanneer hij dicht in je buurt is, moet je hem even aankijken. Gewoon wanneer hij in je buurt is, dan kijk je hem aan. Net kort genoeg. Zo gauw hij terugkijkt, sla je je ogen neer, alsof je jezelf betrapt hebt op die blik. Hij zal naar meer vragen!'

Begin oktober. Ik zat in het eerste jaar marketing aan de hogeschool. Frederik zat in het laatste jaar communicatiewetenschappen, dat wist ik via via. Ik voelde me niet jong meer, wel doorleefd. Niet alleen het verleden, ook het heden bekraste mijn gemoed. Angela's woede-uitbarstingen kwamen de laatste tijd in zeer heftige weeën opzetten. Ik kon haar gedrag niet plaatsen. Ze was niet tot bedaren te brengen. Mijn stilzwijgen maakte het evenzeer erg, want dan kende ze geen remmen meer. Ik had wel eens geprobeerd om gewoon de kamer uit te gaan, maar ook dat was olie op het vuur. Dan sloeg ze zo hard met haar hand op de tafel dat ik zodanig schrok en verlamd bleef staan. Ze maakte me wijs dat ik 'hardhandigheid' nodig had, omdat ik het anders niets tot een goed einde zou brengen. Haar strenge houding zou me wapenen tegen de rotte wereld. Ik was te zacht. 'Met die eigenschap zou ik worden vertrappeld in deze wereld.' 'Haar manier van reageren was pedagogisch verantwoord'. Zo beweerde ze. Haar idee over mij werd het mijne. Wie was ik tenslotte zonder Angela? Maar: wie was ik mét Angela?

Ik werkte 's avonds mee in de praktijk van Angela en voerde in die periode mijn eerste stijladviesconsultaties uit. Het bracht aardig wat geld in het laatje! Dat geld plaatsten we op háár rekening, zodat zij de lopende leningen kon beheren. Ik had toch nog geen notie van overschrijvingen en leningen. Ik vond het best zo.

Zolang ik studeerde kon ik me nog niet als zelfstandige vestigen, dus beloofde ze om mij een statuut te geven van zodra ik afgestudeerd was. Ze had voorlopig voldoende met alleen de erfenis, het weduwepensioen, mijn wezenuitkering, en mijn inbreng. Ik had er geen benul van dat alles in het leven zoveel kostte.

'Als jij je eigen verdieping hebt, dat zijn twee kamers, dan is het ook logisch dat jíj je deel betaalt. Bovendien is het huis later van jou.' Zo luidde het. Ik kende niets anders. Ze verwende me. Dacht ik. Ik kreeg de duurste kleren. Kleding die zij weliswaar voor me uitkoos, onder haar deskundig oog. Ik had toch geen reden om zo ongelukkig te doen? Angela gaf me alles wat ik nooit eerder kreeg.

Met zijn bruine, krullende haar en zijn lichtblauwe ogen was Frederik dé spetter van de school. Hij was veel groter dan ik en dat trok me aan. Ik droomde ervan dat Frederik me zou beschermen. Al weken wachtte ik op het moment dat ik zou kunnen 'flirten' met hem. De gedachte alleen al maakte me keer op keer doodzenuwachtig. Tot op die vrijdagavond.

Ik maakte mijn tas vast op het bagagerek van mijn fiets. Geroutineerd. De buitenwereld ontging me. Er werd zachtjes op mijn rug getikt.

'Zal ik je helpen?'

Frederik!

Mijn hoofd leek een dreun te hebben gekregen van een rubberen hamer. Hij keek schichtig mijn kant op terwijl ik, op een stuntelige manier, de terugspringende elastiek probeerde vast te zetten. Mijn geroutineerdheid hierin verdween plots als sneeuw voor de zon.

'Ik kan het wel,' stamelde ik.

'Ja dat wel. Maar je achterband is volledig lek, meisje.'

Dat had ik niet in de gaten gehad.

'Ik kan je met de auto brengen als je wil,' hoorde ik hem zeggen. Alsof ik gedirigeerd werd door touwtjes, liet ik me door de mooie Frederik leiden. Ik stapte zijn buitenmaatse sportwagen in. Die vijf minuten bij hem in de wagen leken een eeuwigheid te duren. Een haast vacuüm getrokken stilte. De romantische popsongs leken zorgvuldig te zijn uitgekozen. Maar dat kon ook mijn verbeelding zijn.

'Wil je wat met me gaan eten, morgenavond?' Het viel me op dat hij een diepe, warme stem had.

'Ik laat het je morgen weten. Ik moet het eens nakijken.'

Ik dacht aan de permissie van Angela.

Meestal werkten we op zaterdag. Als we dat niet deden, woonden we seminaries bij.

'Zondag mag ook hoor,' voegde hij er haastig aan toe.

'Ik bekijk het! En bedankt voor de lift!' riep ik terwijl ik het portier dichtsloeg. Hij wachtte totdat ik binnen was.

Angela stond te kokkerellen. Ik was intussen gewend aan de typische zeewierlucht. Ze maakte vaak zeewier met rijst. Ze stopte met roeren en keek me onderzoekend aan. Een blik waarvan ik steeds ongedurig werd. Angela zag alles. Alles zodat ik het gevoel kreeg dat ik een wandelend dagboek was. Ik voelde me schuldig wanneer ik iets 'achterhield'. Anderzijds mocht ik mezelf toch gelukkig prijzen dat ze me aandacht gaf, maakte ik mezelf wijs. Angela zette het vuur af en schoof de keukenstoel opzij, zodat ik kon gaan zitten en vertellen.

'Frederik heeft me mee uit gevraagd, morgen,' liet ik me ontvallen.

Ze haalde haar wenkbrauwen op. De sfeer leek om te slaan. 'Morgenmiddag had ik met jou eigenlijk gepland om naar een congres, over stijladvies, te gaan. Ergens in de buurt van Gent. Ik schat dat we nooit op tijd terug zullen zijn.'

Verzon ze dit nu ter plekke? Ze zou me toch, met haar zin voor planningen, al lang op voorhand ingelicht hebben!

'Maar Angela…'

'Meisje, je bent nu volwassen en je hebt nu ook je verantwoordelijkheden.'

'Maar Angela, ik studeer op zondag,' rebelleerde ik voorzichtig. 'Wanneer kan ik dan ooit eens met Frederik uitgaan?' Ik voelde me verongelijkt.

'Dat is waar, meisje. Het wordt tijd dat je echt vrouw wordt.'

Haar reactie was beangstigend maar ik voelde me ook opgelucht. 'Kan ik dan alsjeblieft zaterdagavond met Frederik afspreken?' Moest ik nu werkelijk zo gaan lopen smeken als achttienjarige?

'Doe maar,' gaf ze toe. 'Ik ga wel alleen naar het congres.' Ik meende een licht verwijtende toon te herkennen. Maar ik negeerde het.

'Dank je, Angela!' Ik vloog haar om de nek.

'Berlinda, nu je afspraakjes maakt met jongens, moeten we het toch eens dringend over 'anticonceptie hebben.'

'Ik heb maar een eerste afspraak met Frederik. Ik ben voorzichtig. Het hoeft allemaal niet meteen!'

'Dat weet ik meisje. Maar als verliefdheid toeslaat, dan ken je jezelf niet meer. Je lichaam wordt dan gedirigeerd door lust. Jij moet bovendien eens dringend wat relatie-ervaring gaan opdoen. Je kunt toch niet eeuwig maagd blijven.'

Wie zou zo vrijzinnig reageren?

'Weet je hoe de vork in de steel zit, wanneer het om seks gaat?'

Wat een vraag! Wat moest ik in hemelsnaam zeggen?

'Papa heeft ons altijd verteld dat we zuinig moeten zijn op ons lichaam en dat seks niet iets is dat je "zomaar" gebruikt om iemand aan je te binden.'

'Voor een stuk heeft hij gelijk, vind ik, maar ik vind ook dat je als jongere wel een beetje ervaring moet opgedaan hebben zodat je sterker staat in toekomstige relaties.'

'Ik zou pas met iemand kunnen vrijen als ik echt om hem geef.'

'Dat is heel wijs van je, Berlinda. Je moet momenteel zelfs wachten, aangezien je geen anticonceptiemiddel neemt. Hoe denk je over kinderen?'

'Misschien is het voor mij ook niet weggelegd? Maar het kan ook afhangen van de partner die ik tegenkom.' Ik had het gevoel dat ik wartaal uitkraamde. Ik wist helemaal nog niet wat ik wilde. Mijn gedachten werden onderbroken want Angela ging verder.

'Als je een stabiel leven wil, zul je sowieso een "family man" aantrekken. Dat is klaar en duidelijk. Wil je dat wel?' Ze vroeg het alsof ik knettergek zou zijn die wens te koesteren.

Van dit soort onderwerpen raakte ik het noorden kwijt.

'Wat denk je van een sterilisatie? Als hij echt van je houdt, dan respecteert hij je beslissing.'

'Maar meteen een sterilisatie?' Mijn stem schoof uit van verbazing.

'Meisje, daar hoef je niet bang voor te zijn. Eigenlijk is het een heel eenvoudige ingreep. Ik heb het zelf ook laten uitvoeren. Toen waren de technieken nog veel omslachtiger dan nu! Nu maken ze gewoon een kleine inkeping ter hoogte van je navel, ze blazen wat lucht in je buik zodat je organen duidelijk zicht- en tastbaar zijn. Vervolgens knopen ze gewoon je eileiders dicht. Tegenwoordig krijg je hier ook maar een lichte narcose voor. Dat is alles.' Ze legde het uit alsof elke vrouw dit één keertje moest hebben meegemaakt.

Het ging me trouwens niet om de fysieke kant van de zaak.

'Maar Angela! Dan kan ik echt helemaal geen kinderen meer krijgen!'

'Wil je die voortdurende last van kinderen wel?' vroeg ze met de nadruk op 'last'.

'Ik weet niet of het een last is. Je krijgt ook veel van ze terug, toch?'

'Je kunt het ook anders bekijken, Berlinda. Zonder kinderen heb je een veel intensere relatie, want je kunt al de aandacht die je aan opvoeding geeft, investeren in een leuke verhouding en in een boeiende carrière!'

Ik wilde inderdaad tijd voor een relatie! Ik wilde een zorgeloze relatie! Opnieuw wist ik niet wat ik zeggen moest.

'Trouwens, jij weet niet eens welk genetisch materiaal je met je meedraagt! Ik vind dat je als moeder even verantwoordelijk bent voor wat je niet op de wereld zet, dan voor wat je wel op de wereld zet.'

'Angela. Dit moet ik toch even laten bezinken.'

'Dat begrijp ik meid. Ik overval je ook zomaar met mijn jarenlange ervaring en visie.'

Die zaterdagavond sprak ik af met Frederik. De oktoberregen had plaatsgemaakt voor een aangename herfstzon. Mijn opwinding deed me het gesprek met Angela heel even vergeten. Nu wilde ik echt mijn jeans aan! Ik kon er moeilijk in een mantelpakje bij lopen. Wel sportief en jong. Zo wilde ik zijn voor Frederik. Ik bleef uren staan prullen aan mijn haar. In een staart. Los. Maar los mocht ik het niet dragen van Angela. Stilaan drongen haar onredelijke wetten tot me door, maar ik zag er geen beginnen aan om er tegenin te gaan. Ik wilde zoveel mogelijk heisa vermijden. Zeker wanneer het om 'stijl' en 'klasse' ging. Dan had ik geen verweer.

De bel! Frederik! Ik was nog niet klaar! Mijn haar! Het hing nog 'gewoon los'!

'Kom binnen!' hoorde ik Angela in de gang uitbundig roepen.

Enkele minuten later was ik weer beneden. Angela keek me berispend aan. Ze keek nadrukkelijk afkeurend naar mijn haar en jeans, toen ik de woonkamer in liep.

'Hoi Berlinda! Je ziet er goed uit!' lachte Frederik.

Angela leek uit evenwicht te zijn gebracht. Er hing een ongemakkelijke stilte. Ik wilde méteen met Frederik weg!

'Een kop thee?' vroeg Angela. Ik ergerde me aan haar voorstel.

'Eh thee?' Hij stamelde het ietwat verbaasd.

'Ja. Ik heb saliethee, eikenbladthee, groene thee... Noem maar op!'

'Iets fris, mevrouw! Kan dat?'

'Is plat bronwater goed?'

'Ja, doe maar,' maakte Frederik zich er snel vanaf.

Ze kwam, na het halen van het water, weer de woonkamer in.

'Zo! Ik heb gehoord dat jij een flinke student bent?'

Frederik legde haar vol trots uit dat hij graag voor een groot tijdschrift zou gaan werken.

'Berlinda gaat met mij de zaak verder uitbouwen,' negeerde ze zijn antwoord. 'Wij runnen een lifestylecentrum. Ik geef gesprekstherapie aan jongeren en zij geeft momenteel de stijladviezen als aanvulling op mijn psychotherapie. Intussen, zoals je weet, studeert ze nog marketing.' Ze legde het uit alsof ik er niet bij zat.

Ik wilde het Frederik zélf allemaal vertellen op restaurant!

'Ik heb om halfacht gereserveerd bij de Pinocchio,' onderbrak Frederik haar enthousiasme. Oef!

'Ja, ja natuurlijk!' riep Angela terwijl ze opstond. 'Het is trouwens de eerste keer dat Berlinda op de vele aangeboden afspraakjes ingaat.'

Ik wilde dat ze had gezwegen. Ik wilde niet overkomen als 'dé seut'. Frederik zei niets. Angela gooide de voordeur, uitbundig zwaaiend, achter zich dicht. In de auto waren we allebei onwennig. Ik wist niet hoe en ik waarover moest beginnen. We kwamen aan bij het Spaanse restaurant. De authentieke Spaanse muurtekeningen brachten me in een andere wereld. Alles was verlicht door rode kaarsen. De tafels waren uit ruw hout en wekten een warme sfeer. De stoelen eromheen waren in rood en groen geschilderd. Het voelde onwennig aan om voor het eerst met een jongen te dineren. Het was überhaupt de eerste keer dat ik verliefd was.

Terwijl Frederik tegenover me zat, zei hij me: 'Je bent zó mooi, Berlinda. Ik had je al langer in de gaten maar ik durfde je niet te benaderen. Ik was er rotsvast van overtuigd dat ik een nee zou krijgen.' Ik voelde hoe het bloed zich door mijn lichaam joeg. Mijn wangen gloeiden. Mijn hele lichaam tintelde.

Hij ging onverstoord verder. 'Ik dacht dat een meisje zoals jij allang een relatie had.'

'Nee. Ik word niet gemakkelijk verliefd.'

'Dat vind ik nu net intrigerend aan een vrouw. Dan voel je je als man ook niet "de zoveelste". Ik wil met één vrouw verder voor rest van mijn leven.'

Ik kon nu toch al onmogelijk te koop gaan lopen met mijn idee over zwangerschap, gezin en kinderen?

Hij vertelde me over zijn net afgesprongen relatie. Hij was drie jaar met iemand samen geweest. Hij vroeg me waar ik vandaan kwam. Mijn antwoorden op dit soort vragen waren intussen automatismen voor me geworden. Zijn ijsblauwe ogen namen me bestuderend op. Ik was verliefd! Oh God! En hoe moest het nu in hemelsnaam verder?

We vertrokken en hij bracht we terug naar huis. Nadat hij zijn sportwagen tot stilstand had gebracht, legde hij zijn hand op mijn schouder en kwam dichterbij. Zijn ijsblauwe ogen nu dicht bij de mijne. Hij kwam dichterbij. Maar ik draaide voorzichtig mijn hoofd weg. Ik wilde niet zomaar meteen gaan zoenen. Ik wilde niet dat hij zou denken dat ik 'een snelle' zou zijn.

Om de spanning te breken, nam ik het initiatief om hem drie vriendschappelijke zoenen op de wang te geven.

'Spreken we gauw weer af?'

Was dat een smeekbede?

'Is goed.' Mijn stem klonk onbehouwen. Maar zo voelde ik me niet. Frederik bleef staan totdat ik de zware houten voordeur achter me had gesloten. De smalle houten treden kraakten onder mijn sokken.

'Hey meid!' Angela was nog op.

Ik was moe en had geen zin meer om te bomen over de diepere dingen des levens. Ik zou Angela snel even 'slaapwel' wensen.

Ik keek even snel in de spiegel van de traphal en maakte snel mijn haar vast.

'Berlinda!'

'Ja, ik kom nog heel even langs!' zuchtte ik.

'Even?' vroeg ze lachend. 'Jij hebt me toch nog veel te vertellen, neem ik aan.'

'Je haar zit slordig.' berispte ze me terwijl ik mijn hoofd in haar slaapkamerdeuropening stak. 'Wat heb je allemaal uitgespookt?' Ze grinnikte.

'Niets.'

'Meid, meid. Wees toch eens openhartig. Wij hebben toch geen geheimen voor elkaar?' zei ze verontwaardigd.

'Ik mag Frederik wel,' zei ik verlegen. Ik vermoedde dat de rode kleur door mijn bruine kleur heen moest schijnen.

'Wat leuk, Berlinda! Ik had zo het gevoel, toen hij bij ons op de bank zat, dat hij helemaal verliefd op je is. Hij keek voortdurend vanuit zijn ooghoeken naar je.'

Mijn hart maakte een dubbele salto.

Frederik vond mij ook leuk!

'Berlinda toch, je moet je eens over die schroom heen zetten! Zoenen doet geen pijn hoor! Integendeel!'

'Maar ik wil er zeker van zijn, voordat ik zover ga met een man.'

'Kom kom, Berlinda! Zoenen betekent nog niet dat je met hem naar bed gaat.' Ze proestte het uit. Alsof ze het tegen een non had.

Mijn gedachten vertraagden van verwarring en vermoeidheid.

'Goh, Angela, ik zie wel.'

'Berlinda, ik wil niet dat je te lichtzinnig over dit onderwerp heen gaat. Als jullie beiden verliefd zijn, dan kan het allemaal veel sneller gaan dan je denkt. Verliefdheid zet je hormonen in gang. Voordat je klaar gezien hebt zit je toch met een kind opgescheept.'

Ik kon me in de verste verte niet voorstellen dat het allemaal zo snel zou gaan.

'Berlinda,' zei Angela serieus, 'misschien moet je toch maar eens, voorlopig althans, aan de pil gaan denken. Ik zal maandagochtend met onze huisarts bellen om eens te informeren.'

Wilde ik wel zo snel gaan?

Frederik woonde op kot. Zijn studio leek wel een balzaal. Ik zag veel tekeningen van Andy Warhol. In tegenstelling tot de koude marmeren traphal was de inrichting warm. Wijnrode fluwelen zetels nodigden uit om knus in weg te zakken. Mijn zintuigen werden volop geprikkeld. De geur van de pasta met knoflook en verse basilicum vulde het huis. In zijn woonkamer pronkte een zwarte blinkende vleugelpiano.

'Ik speel straks na het eten mijn stukje voor je.' Hij bloosde.

Zijn pastaschotel herinnerde me aan klassiek eten! Het aroma bezorgde me rillingen van heimwee: ik dacht terug aan papa's creatieve pastaschotels. Ik voelde de rode porto, die hij me had voorgeschoteld, langzaam en warm door mijn slokdarm heen vloeien. Ik had nooit eerder alcohol gedronken. Ik was er sceptisch tegenover. Het bracht nare herinneringen boven aan mijn moeder. Ik vertelde over haar. En over de rode draad uit mijn leven.

Frederik scheen uit een warm nest te komen. Hij had een goede band met zijn ouders.

Daar had je het!

'Hoe zie jij de toekomst? Wil jij ook een gezin, net als ik?'

Niet nu! Laat me in de glorie van het moment!

Ik raapte mijn zinnen bij elkaar en zei: 'Ik heb er een heel andere kijk op.'

'Hoe bedoel je?'

'Ik ken mijn genetische achtergrond niet. Ik weet niet wat ik een kind zal aandoen. In sommige vallen heb je meer moederinstinct om er niet voor te kiezen.' Ik besefte niet dat alle woorden van Angela intussen in mijn hoofd woonden.

'Maar, waar denk jij toch allemaal aan? Jij bent toch helemaal gezond?'

'Ja, voor zover ik weet wel, maar ik weet niet wat ik genetisch meedraag. Dit kan een groot risico zijn voor moeder en kind.'

'Ik vind dat je er niet te veel over hoeft te piekeren, Berlinda. Er kan altijd wel een genetisch probleem zijn in een familie. Ik weet ook het fijne niet van mijn volledige achtergrond. Moet ik me dan "gehangen" voelen in mijn keuzes voor de toekomst? Moet die onwetendheid je hele leven bepalen?'

Ik besprak het liever alleen met Angela. Zij steunde me wél en gaf me voeding in die visie.

'Weet je,' begon Frederik terwijl hij aanstalten maakte om de tafel af te ruimen, 'het onderwerp is nog helemaal niet aan de orde. Laten we gewoon de tijd z'n werk maar doen.'

Ik was blij dat hij het onderwerp zelf opzijschoof. De rode wijn had mijn lichaam en hoofd nu helemaal overspoeld maar ik bleef goed bij zinnen. Frederik stond op van tafel, kwam achter me staan en legde heel even zijn hand op mijn rechterschouder.

'Nu ga ik "Berlinda" voor je spelen. Ik hoop dat je het mooi zult vinden.' Hij was verlegen. Ik hoorde het aan zijn heser geworden stem. Hij had een krachtige tred, zoals hij daar naar de piano liep. Zijn gespierde benen waren goed zichtbaar in zijn strakke spijkerbroek. Het werd stil in de woonkamer. Enkel het geknetter van de brandende open haard was hoorbaar. Dansende vlammen verlichtten de kamer. Ik ging ontspannen in de rode zetel zitten. Frederik sloot zijn ogen en zette zich goed op de pianokruk. Enkele losspringende krullen vielen voor zijn ogen.

Hij begon. Ik had me nog nooit zo speciaal gevoeld! Niemand had ooit iets creatiefs voor mij speciaal in elkaar gestoken. Na een rustige intro bewogen zijn vingers pas echt passioneel over het klavier. Niet alleen mijn gehoor werd geprikkeld. Ook mijn zicht. Zoals hij daar zat met zijn gesloten ogen, stal hij elke heldere gedachte. Ik werd almaar verliefder. Angela had gelijk: 'Verliefdheid was iets speciaal'.

De stilte die hij na het pianostuk achterliet, had iets magisch.

'Het was prachtig, Frederik. Je hebt talent.'

'Dank je.' Hij liep naar me toe. Zijn ijsblauwe ogen keken diep in de mijne, toen hij naast me kwam zitten.

Telefoon! Niet nu!

Angela. Uiteraard. Het was intussen voorbij elven!

'Waar blijf je, Berlinda? Vergeet niet dat je morgen weer naar school toe moet en daarna heb je nog drie consultaties op je agenda staan. Morgen zal het dus ook al behoorlijk laat worden.' Angela stond erop dat ik voldoende slaap had. 'En kom je goed thuis?'

'Ja, ja.' Desnoods zou ik wel met een taxi gaan. Ik wilde Angela niet lastigvallen.

'Ik breng je wel thuis, Berlinda,' zei Frederik nadat ik mijn gesprek met Angela had afgesloten. Ik nam zijn aangereikte hand in de mijne. Hij kwam dichterbij en legde zijn arm om mijn schouder heen. Hij keek me nog dieper in de ogen dan daarnet. Hij boog zijn hoofd naar me toe. Ik voelde me loom worden van de wijn. Ik zakte steeds dieper weg in de kussens van de sofa. Ik leek te verdrinken in een kolk, maar ik was niet bang.

Zijn lippen beroerden de mijne. Wat een vreemde sensatie! Zijn tong drong zachtjes mijn mond binnen en liefkoosde met cirkelvormige bewegingen de binnenkant van mijn wang.

Zijn handen gleden zachtjes van mijn schouders naar mijn bovenarmen toe, over mijn bovenrug, geduldig heen en weer. Ik voelde me in een achtbaan zitten. Hij liet me weer even los en keek me opnieuw aan.

'Zal ik je thuisbrengen? Of blijf je hier?'

'Nee, nee!' riep ik verschrikt uit. Ik moet naar huis.'

'Goed, dan zet ik je af,' zei hij, mijn haar kussend. 'Zie ik je dan snel weer?'

'Já!'

Ja! Ja! Ja!

Thuis voelde ik me in de war. Waar was ik aan begonnen? Enerzijds had ik me laten meeslepen in de roes van verliefdheid. Anderzijds baarde een toekomst met hem me gigantische zorgen! Hoe moest het nu verder als hij per se kinderen wilde? Zou hij bijdraaien? Ik kon me zo niet engageren met Frederik!

Angela was nog op. 'Aha! Mijn meid komt nog roder dan de vorige keer mijn kamer binnen gestruikeld!' grapte ze.

'Frederik en ik zijn samen.' Ik zei het ingetogener dan ik me voelde.

'Wel, wel, wel ben je de poort van het vrouwendom doorgelopen?' Angela gedroeg zich opnieuw meer als een vriendin.

'Nee, er is niets gevaarlijks gebeurd.'

'Toe, Berlinda! Je gaat me toch niet vertellen dat jullie samen naar Calimero hebben zitten kijken!' proestte ze.

'Hoe bedoel je, Angela?' Ik hield me van de domme.

'Nu ja. Jullie hebben elkaar toch wel betast!'

'We hebben alleen gekust!'

'Goed zo.' Opnieuw was er die zakelijkheid in haar stem.

Ik onderdrukte een zucht en maakte aanstalten om haar slaapkamer uit te lopen.

'Berlinda?' riep ze me terug. Ik keerde me weer om.

'We hebben morgenmiddag een afspraak bij de huisarts. Dan kan hij je de pil voorschrijven, zodat je voorlopig verder kan. We kunnen het dan meteen ook eens hebben over de sterilisatie.' Het leek me een geruststellend idee om meer te weten te komen over die kwestie.

Angela liet de stilte niet lang hangen. 'Hoe zit het met je seksuele voorlichting?' Haar vraag bracht me uit evenwicht.

'Ik weet wel van wanten,' wimpelde ik het onderwerp af. 'Ik heb goed opgelet tijdens de biologieles.'

'Ja maar, wat leer je nu op school?' riep Angela lachend uit. 'Ik bedoel, heb je al dingen uit de praktijk gezien of gehoord?'

'Dat zal de praktijk wel uitwijzen, zeker?' Ze maakte me onzeker. Ik betrapte mezelf erop dat ik helemaal niet wist wat ik daar in godsnaam mee aan moest!

'Ga eens op de grond liggen?' Haar vraag was eerder eisend.

'Hoezo?' Haar vraag bracht me in verwarring.

'Wel, ik bedoel, gewoon … ik zal je wat leren.'

Ik moet haar verwilderd hebben aangekeken.

'Gewoon met je kleren aan hé, gekke!'

'Je wilt toch niet eeuwig zuster Theresa blijven! Wees blij dat ík het je wil tonen!'

Ik legde me voorzichtig neer op de houten vloer.

'Je benen gestrekt, Berlinda.' Verward deed ik wat ze van me vroeg.

'Ik zal de vrouw spelen. Dan ben jij de man.'

Ze ging schrijlings op mijn onderbuik zitten.

'Kijk als je deze houding aanneemt, zal je je partner intenser in je voelen. Als je dan nog lichtjes beweegt in cirkelvorm, zul je speciale sensaties ervaren.'

'Als je je dan negentig graden omdraait, in deze positie, dan worden er andere raakvlakken in je beroerd, dan zal je weer iets anders voelen.'

Ze leek in haar element te zijn.

'Maar Angela,' prevelde ik verschrikt, 'het zal zichzelf wel uitwijzen.' Ik klonk stoerder dan ik was.

Ze leek me niet te horen.

'Ik neem als vrouw altijd graag de leiding, dan kan je diepte en snelheid zelf bepalen. Een man hoort niet alles te bepalen!'

Ik was sprakeloos.

Na haar 'lessen' ging ik naar mijn kamer. Ik wilde nog niet zo gedetailleerd over seks nadenken. Het toneelspel had me alleen maar onzekerder gemaakt. Ik zou er niet lenig of kundig genoeg voor zijn. Ik wilde gewoon genieten van het 'hier en nu'. Genieten van de vlinders die Frederik in me losmaakte. Ik wilde nog niet aan zijn naaktheid denken, of aan de mijne. Anderzijds smachtte ik naar de gratie die hij me zou geven. Ze zou me dan 'een echte volwassen vrouw' vinden.

De consultatie bij de dokter was verhelderend en ontgoochelend tegelijkertijd. Ik begreep dat ik nog erg lang aan de pil moest.

Een sterilisatie voor de dertig jaar werd niet zomaar uitgevoerd! Ik zou medische bewijzen moeten kunnen voorleggen en ettelijke gesprekken bij een psychiater moeten ondergaan. En dan, heel misschien, zou ik op mijn eenentwintigste kunnen gesteriliseerd worden.

Nog drie jaar aan de pil! Die kilo's! En de 'verwoesting,' waar Angela het steeds over had, op mijn lichaam. Het voorschrift gaf me een tweestrijdig gevoel.

In de terugrit naar huis zei Angela me dat ik nog niet meteen moest wanhopen. We zouden alle mogelijkheden uitpluizen zodat ik sneller 'geholpen' kon worden.

Ik waagde het Angela te vertellen. 'Angela, Frederik is een family man.'

Voilà. Het was eruit!

'Berlinda toch! Je eerste ervaring hoef je toch al niet meteen al te serieus te bekijken!' lachte ze, bekijk hem gewoon als oefenmateriaal!' Angela gaf met het gevoel dat ik 'te zwaar op de hand' was. Misschien zou ze me als 'volwassen vrouw' beschouwen als ik werkelijk de stap zette? Maar ik was verliefd! Hoe kon ik er dan zo licht overheen stappen?

Ik zag Frederik steeds vaker buiten de school. Angela moedigde onze relatie aan. Seminaries waren plots minder van tel. Frederik had te kennen gegeven dat hij me liever zag bij hem thuis. Angela kwam steeds meer ter sprake. Frederik pakte het voorzichtig aan. Hij wist dat ik Angela adoreerde om haar wijsheden, moederwarmte en zoveel meer.

'Berlinda. Ik ben met jou samen, niet met Angela.' Ik begreep wat Frederik bedoelde. Angela kon soms te innemend zijn.

De etentjes op restaurant, de kaasbroodjes op school en de kookkunsten van Frederik maakten me niet dikker! Ik ging steeds vaker na school naar Frederik. Hij wilde steeds verder gaan in zijn liefkozingen. Ik kreeg fysiek zelfvertrouwen, want hij bejubelde mijn lichaam iedere keer als we elkaar zagen. Hij had me wel eens vaker gevraagd waarom ik nooit een spijkerbroek droeg. Ik legde uit dat mijn figuur daar niet goed in uitkwam en dat ik dan minder 'stijlvol' was. Angela woonde inmiddels in mijn hoofd.

Ze bleef vaak op wanneer ik was weg geweest, daarom kreeg ik het benauwde gevoel voortdurend op de hielen te worden gezeten. Zo ook een avond, toen ik terug kwam van Frederik. 'Berlinda meid. Ik ga dit weekend met Marina een weekend naar Milaan. We gaan er shoppen zodat we wat modieuze kleding hebben. Dan ben jij wel een heel weekend alleen!' knipoogde ze naar me. 'Je hebt het huis voor jou alleen!' herhaalde ze in haar handen klappend.

Mijn hart leek overstag te gaan. Uit angst? Of was het hartstocht? Hoorde je van hartstocht niet blij te worden? Was ik blij? Blij omdat ik als 'jonge vrouw' zou worden beschouwd en behandeld? Dan zou ze me niet meer berispen om kleine dingen?

'Ik heb een idee.' haalde ze me uit mijn gedachten. Ik keek weer op. 'We vervangen jouw eenpersoonsbed door het tweepersoonsbed dat in de kelder staat. Zo oogt je verdieping meteen ook als dat van een jonge vrouw. Dan heb je meteen ook alle ruimte met Frederik.'

Frederik had wel vaker de hint gegeven om verder te gaan, maar ik hield de boot steeds af.Bovendien zou ik door Angela als 'gelijkwaardige' beschouwd worden. Ik haalde mijn schouders op. Misschien werd ik er wel beter van? Volwassen? Begerenswaardig? Ik droomde bijna hardop van mijn eerste liefdesnacht. Achttien. Het was toch niet te vroeg? Noch te laat.

Angela kocht nieuw beddengoed voor me. Het vuurrode linnen moest onze passie accentueren. Op mijn nachttafeltje had ze een fles echte Chardonnay neergezet waarbij ze had gezegd: 'Zo zal je wat ontspannen zijn voor je eerste keer.'

Ik werd steeds onrustiger. 'Het moest maar!' praatte ik op mezelf in. Gedaan met mijn meisjeswereld! Ze vertrok die ochtend al vroeg met Marina. Ik vond Marina niet erg leuk. Ze had steeds te veel make-up op en hield haar handje slap voor zich uit alsof ze een hulpeloos wezen was. 'Alwetend', zoals Angela me haar had voorgesteld, oogde ze in elk geval niet.

Frederik kwam die zaterdagvoormiddag naar me toe. Het was raar om met hem alleen thuis te zijn. Motregen tikte tegen het dakraam van mijn slaapkamer. Een jammerende donder overstemde de radiomuziek.

'Eindelijk! fluisterde hij. 'Het hele huis voor ons tweetjes!' Hij omhelsde me innig. Ik hield van zijn discrete frisse aftershave. Ik wist plots niet meer wat ik met hem aan moest. Moest ik in de woonkamer gaan zitten? Moest ik naar mijn eigen zitkamer gaan? Zouden we gaan wandelen in de motregen? We zouden pizza kunnen gaan eten.

Frederik verloste me uiteindelijk uit mijn verwarde gedachten door zijn fles wijn boven te halen, vergezeld met een doosje bonbons. Ik stelde voor om een film op te zetten, maar Frederik trok zijn neus op. Hij wilde samen met mij in bad. Het bad! Ik bloot in bad! Nu? Paniek greep me om de keel. Ik dacht terug aan Eddy.

'Toe, ik wil jouw prachtlichaam bewonderen.' Hij vroeg het op een niet opdringerige manier.

Ik aarzelde.

'Je bent toch geen klein schoolmeisje meer,' lachte hij in mijn wang knijpend.

'Geen enkele man heeft me ooit naakt gezien,' gaf ik voorzichtig toe.

'Ik zal dé man zijn die jij nooit meer vergeet! Ik zou je lichaam zo verdomd graag overal strelen. Ik zou je de geneugten van een écht hoogtepunt willen leren kennen. Ik verlang al zo lang naar je. Dag en nacht. Jij speelt de hoofdrol in mijn stoutste en tederste dromen.'

Ik werd herinnerd aan Angela's uitspraak. Ze adviseerde me niet te lang te wachten met Frederik, want een man zou 'zijn heil' snel ergens anders zoeken als hij op een vrouw moest wachten. Ik wilde Frederik niet kwijt!

Hij reikte me de hand en trok me ongeduldig de trap op, waardoor ik haast struikelde over mijn hoge hakken. Hij liet het bad vollopen en schudde de fles badschuim er bijna in leeg. 'Met al dat schuim zul je je schroom wel overwinnen,' fluisterde hij. Hij maakte voorzichtig de knoopjes van mijn bloes los.

Ik legde mijn handen op zijn schouders, toen hij mijn broek losmaakte en zachtjes omlaag schoof. Hij ging met zijn handen over mijn bijna naakte lichaam.

'Berlinda,' fluisterde hij met hese stem. 'Je bent prachtig.' Mijn glimlach verried mijn ontluikende zelfvertrouwen. Hij knoopte zijn hemd en broek los terwijl hij naar me bleef staren. Zijn onderlip lachte.Daar stond hij voor me. Naakt. Ik aanschouwde zijn brede borstkas, platte buik en gespierde benen, maar durfde niet naar zijn geslacht te kijken.

Hij maakte de sluiting van mijn witkanten beha los. Instinctief hield ik mijn armen voor mijn boezem toen die op de grond viel.

'Toe dan. Laat je armen dan los hangen,' beval hij me fluisterend terwijl hij mijn armen in een tedere beweging van mijn bovenlichaam haalde. Ik stapte vrijwel meteen in het volle bad en werd bedolven onder het schuim. De warmte omarmde me. Mijn spieren verlapten. De geur van de kokoszeep deed me even wegdromen.

Frederik kwam achter me zitten, streelde me met geduldige hand. Onophoudelijk. Mijn benen. Mijn hals. Mijn haar. Ik voelde hoe zijn lid harder werd en rilde van angst. Hij nam me bij de hand. Trok me mee het bad uit. Tilde me op, en liep zo met mij naar mijn slaapkamer. Het donkere antieke bed domineerde de kleine slaapkamer. Dat viel me nu pas op. Het vuurrode bedlinnen leek plots zo schreeuwerig, maar de warmte in de slaapkamer ontspande me weer heel even.

Frederik legde me neer op het bed. Naakt. Nog halfnat. Frederik schonk twee glazen Chardonnay in. We klonken. Op ik wist niet wat. Hij zette zijn snel leeggedronken glas weer op het nachttafeltje en streelde me, op plaatsen waar niemand me ooit had geliefkoosd. Ik verloor even al mijn zinnen. Gaf me stukje bij beetje over. Zijn handen kneedden mijn taille. Mijn bovenbenen. Mijn nek. Zijn tong dwaalde af naar mijn verhitte onderbuik. En verder.

Zijn strelingen leken het ritme van de muziek te volgen. Händel. Ik had het gevoel alsof ik in een achtbaan zat. Tot mijn grote verwondering kreeg de wijn plots een ander effect. Niet het euforische resultaat dat Angela me had voorgespiegeld. Ik voelde me helemaal niet meer ontspannen, eerder onverklaarbaar triest.

Ik werd heftig teruggebracht naar het 'hier en nu' toen Frederic mijn benen, in één passiebeweging uit elkaar trok en zich met zijn volle gespierde gewicht tussen me in wurmde.

'Wacht.' hoorde ik mezelf smeken met dichtgeknepen stem.

Te laat. Hij kwam heftig in me.

Een slag. Een schop! Een vlijmscherp mes. Alles brandde in me. Dit gevoel had ik nooit eerder ervaren. Waar was 'de sensatie' waarover Angela het steeds had? Waar was 'het hoogtepunt' dat Frederik me had beloofd? Ik voelde me godvergeten beschaamd. Onwetend. Ongelukkig. Mijn lichaam schokte heen en weer onder het zijne. Wat moest ik doen? Ik probeerde krampachtig terug te denken aan de 'standjes' die Angela me had geleerd, maar mijn denken verstilde. De pijn kwam en ging. Er leek geen eind aan te komen.

Hij wist toch dat het mijn eerste keer was? Dat had ik hem duidelijk weken van te voren verteld. Lauwe tranen rolden over mijn wangen. Mijn hart deed nog meer pijn dan mijn onderbuik. Ik hoorde toch blij te zijn? Hij wilde me. Hij zag me toch graag? Hij had me zo vaak zijn liefde verklaard.

Eindelijk bereikte hij zijn climax. Dat zag ik het aan zijn verkrampte gezicht. Plots werd hij ontzettend lelijk voor me. Ik ervoer een ongekende verwarring. Angela zou me nu als 'volwaardig' bekijken. 'Ik had een relatie.' Die gedachte verdoofde de intense pijn en teleurstelling. Ik opende mijn ogen.

'Je hebt gebloed.' Voor hem leek het niet meer dan een 'gewoon' feit. Was hij niet trots dan? Geen knuffel? Was het niet zoals in boeken en in films? Zoute tranen prikten op mijn schrale wangen. Plots verlangde ik naar de gesprekken met Angela. Ze zou me straks wel opvangen! Ik werd me ervan bewust dat zij de enige was die mij leek te begrijpen.

Frederik stond op en zei: 'Ik ga me wassen.' Ik kon zijn ijskoude logica niet volgen. Ik keek op het wekkertje. Onze 'vrijpartij' had in werkelijkheid niet langer geduurd dan een kleine vier minuten. Ik trok het donsdeken weer over me heen, beschaamd om wie ik was, beschaamd om wat ik had toegelaten.

Frederik vertrok nog ver voor Angela thuiskwam. Uren leken dagen. Mijn eenzaamheid was zelden zo diep tot me doorgedrongen! De wijn. De emoties. Maar vooral de verwachtingen hadden me leeg achtergelaten. Ik had honger noch dorst. Hij stuurde niet eens een bericht. Ik bleef wakker en staarde onnadenkend naar het pastelgeel geschilderde plafond. De opgeplakte sterretjes reflecteerden irritant in mijn opengesperde ogen. Ik zakte even weg in de armen van een lichte slaap.

Tien voor tien. De avond viel. Autoportieren sloegen dicht. Een vertrouwd geluid. Angela! Ik voelde hoe mijn hart opveerde om haar terug te zien. Ik zou nog even met haar kunnen napraten!

Angela kwam de woonkamer in. Ze ratelde door over haar winkeltochten. De shopverhalen interesseerden me niet! Ik wachtte totdat ze was uitgepraat, want Angela werd niet graag onderbroken. Uiteindelijk gooide ze zich tóch neer op haar bed om naar me te luisteren.

'En?' vroeg ze. 'Ik wil het allemaal weten.'

'Bwa. Het is gebeurd.'

'Het seksonderwerp is door mediageile mensen opgedikt,' zei ze. 'De eerste keer stelt zeer zelden wat voor.'

'Misschien,' antwoordde ik schouderophalend. Ik liep weer naar mijn kamer en gooide er mezelf op bed. Mijn kussen was nog nat van de vergoten tranen. Waar was die goedkeuring van Angela! Ze zou me toch bejubelen? Ze had zo geroepen over seks en 'vrouw zijn'. En nu? Ik voelde me net zo eenzaam als daarstraks toen ik alleen thuis was.

Enkele uren later, toen ik uiteindelijk toch in een welkome slaap was gezakt, lichtte mijn telefoon op.

Frederik!

Ik klikte snel door en las: 'Het was leuk. Xje Frederik.'

Leuk! Leuk? That's it? Ik kon het niet verdragen dat alles hem zo koud liet. Was dit een 'relatie'? Had ik mezelf daarom weggegeven? Papa zou zich keren in zijn graf! Ik huilde mezelf die nacht in slaap. De dagen die volgden waren monotoon. Ik ging gewoon weer naar school. Ik studeerde hard, ondanks mijn verdriet. Het contact tussen mij en Frederik verduisterde. Het bleef bij die ene keer. Angela herinnerde me eraan dat hij slechts 'oefenmateriaal' was geweest, om me te 'troosten'. Haar troost werkte niet 'zalvend'.

Februari 2006

Oorverdovend geschreeuw. Ons Valentijndiner van gisteren-avond heeft heel wat met zich meegebracht. Ongefilterd och-tendlicht schijnt de kamer in. En alles blijft ijzig kil. Ik verwens de besneeuwde tuinen, bomen en daken. Straks moeten we om boodschappen voor het restaurant, veel boodschappen, op een volgestouwde fiets.

'Luister je of niet? Ik praat tegen je!'

Ik draai me om in ons pas beslapen bed, kijk hem aan en kan enkel nog zwijgen uit nieuw gezaaide verbijstering. Daarom heeft hij me genegeerd gisterenavond? Zijn woorden zijn zo schril geworden dat ze voor mij meer op achtergrondgeroeze-moes lijken.

'Die man. De tafel naast ons in het restaurant. Die met zijn blondine. Je flirtte. Je staarde meer naar de tafel naast ons,' bul-dert hij.

Ik trek het deken verder over me heen, alsof ik me zo meer zou kunnen beschermen tegen de omgeslagen sfeer. Roel is toch nooit jaloers geweest? Hij heeft me doen inzien dat Angela waanzinnig was, heeft me beschermd. Hij heeft me doen vluch-ten van Angela's onredelijke lichtontvlambaarheid en bezorgde me daardoor een draaglijke lichtheid van bestaan.

'Ik dacht dat je verdiept leek in je krant,' reageer ik, sarcasti-scher dan het lijkt.

'Hiermee beken je dat je mijn afleiding hebt misbruikt!' schreeuwt hij.

Ik kan zijn gedachtekronkels niet meer volgen.

'Roel? Over welke man heb je het?'

Ik weet echt niet waarover hij staat te razen.

'De bescheiden machoman'. 'Het type waarvoor je ongetwijfeld door de knieën zou gaan. Die met zijn blondine. De tafel naast ons.' herhaalt hij op een belerende toon.

Hoe kan ik mezelf in godsnaam verdedigen voor wat ik niet eens heb gezien, laat staan voor wat ik zou hebben gedaan. Hij komt dichterbij. Ik kan zijn kruidige deodorantgeur haast ruiken. Mijn ademhaling verliest elk ritme. En dan, zoals zo vaak, grijpt hij mijn wanhopig voor me uitslaande armen heftig naar zich toe. Met een onverklaarbare passie die steeds tussen ons heeft bestaan.

Het magnetisme overweldigt me keer op keer. Ongewild. Zijn 'sorry' breekt me. In tweeën. In duizenden. Ik ben mezelf niet meer. Mijn huid brandt onder zijn heftige greep. Over mijn rug. Over mijn billen. De binnenkant van mijn dijbenen. Ik onderga. In meer lijk ik niet meer te slagen. 'Het ligt aan mij,' hoor ik hem in mijn nek fluisteren. 'Het ligt aan mij. I'm just a jealous guy.'

Hij kent tenminste wel schuldbesef. Dat kende Angela niet. De gedachte brengt me tot rust. Hij is beter. Beter dan alles wat ik heb gekend. Het kan alleen nog maar beter gaan nu hij toegeeft. Zijn jaloezie is voor mij het bewijs dat hij me niet wil verliezen.

'Berlinda. Met jou wil ik verder. Ik wil kinderen van je.' Ik schok opnieuw. Wil ik met hem een kind? Wil ik überhaupt een kind? Ik weet het niet. Ik weet het verdomd opnieuw niet meer!

Zomer 2004

Sinds mijn ervaring met Frederik verzette ik me hardnekkig tegen alle mogelijke gevoelens die me nog maar tot verliefdheid zou leiden. Bij Roel lukte me dat niet meer. Ik zag hem en hij kleefde vast aan de binnenwanden van mijn schedel. Hij speelde met mijn hartslagen en deed de grond onder mijn voeten verdwijnen. Ik wilde geen 'oefenmateriaal', zoals Angela me dat zo vaak voorhield. Ik wilde een vaste honk en dat gevoel gaf Roel me.

Ik had hem leren kennen vlak bij de buurtsupermarkt. Het regende, zo van die regen waar je haar pluizig van wordt, en die je met zachte mepjes in het gezicht slaat. Het kon niet 'beter' gaan dan toen ik overladen de supermarkt uitliep. Net voordat ik het parkeergedeelte was afgelopen, vielen mijn spullen door de dunne plasticzakjes heen. Blikjes fruitsap kletterden tegen de grove stenen aan. De rijstkorrels sprongen langs me heen. Enkel de koffie, het gedroogde zeewier, en de wasproducten waren intact gebleven.

Terwijl ik bukkend groenten en fruit weer bij elkaar sprokkelde, keek ik recht in een paar grijsgroene ogen. Zijn kaaklijn had iets mannelijks. Krachtig. Hij leek te zijn weggelopen uit een of ander castingbureau.

'Kan ik je helpen?' De diepe donkere stem bracht me nog meer van de wijs.

'Eh… eh. Ik red het wel,' reageerde ik, stoerder dan ik me voelde. Hij hurkte neer en raapte met het grootste geduld de spullen weer op, liep naar zijn donkerblauwe BMW en haalde er stevige plastic zakken uit. Hij ging met me mee naar binnen toen ik opnieuw rijst en fruitsap ging halen.

'Zal ik je thuisbrengen? Zo gaat het je niet lukken.'

Ik voelde hoe het bloed zich naar mijn wangen joeg.

Uiteindelijk stelde hij voor om me thuis af te zetten. Dat ene moment verkleurde mijn hele wereld! Ik stond op met de gedachte aan hem en ging ermee slapen.

Zondagochtend halftien. De deurbel rinkelde schel in de woonkamer. Jehovagetuigen?

Angela ging naar de voordeur, zoals gewoonlijk, uit 'veiligheid'. Die stem! Roel! Ik hoorde hem vanuit mijn kamer prevelend vertellen over zijn 'lift' die hij me had gegeven. Ik kon verstaan dat hij me zijn nummer van zijn restaurant aan Angela gaf.

'Hij is veel ouder, Berlinda, dus moet je er zelf ook wat volwassen bijlopen.' Ik trok mijn klassieke zwarte broek aan. En het Burberrytruitje dat Angela zopas voor me had gekocht. Het was duur. Dus het was mooi. Met trillende tred liep ik naar Haute Cuisine, zijn restaurant. Die glimlach. Die kuiltjes in zijn wangen. Een borstkas om in weg te zinken. Gespierde armen die me zo van de grond zouden kunnen tillen.

De zaak was niet groot, er stonden hooguit zes tafels. De inrichting was strak, ietwat onpersoonlijk vond ik. De plastic tafels en stoelen waren fel rood en de muren waren ijsblauw geschilderd. De spots waren zó gericht dat elke tafel fel werd belicht. Een beetje eigenwijs allemaal, vond ik. Er was niemand in de zaak. Roel nam mijn jas aan en schoof een stoel voor me naar achteren.

Die avond kwam hij bij me zitten. Hij sloot het restaurant speciaal vanaf zeven uur. Dat vond ik toen erg romantisch. (Al wist ik toen nog niet dat hij weinig cliënteel had.) We aten pizza die Roel naar eigen zeggen zelf had klaargemaakt. Daarbij had hij een jonge rode wijn geserveerd, die voor mij een beetje te zuur smaakte. Ik liet Roel praten, want in die periode luisterde ik liever dan dat ik veel over mezelf kwijt moest.

Hij vertelde dat hij zijn zaak had opgestart in chaotische omstandigheden. Het was toen al zijn grote droom om zelf een restaurant op te starten maar tijdens de opstartfase liep de relatie met zijn vriendin op de klippen. Zijn zachte manier van praten verried me dat hij ergens nog veel om haar gaf en de schuld van de relatiebreuk op zich nam. Die bewustwording maakte me heel even wankel. Door die uitkoop met zijn ex-partner waren alle aangegane kosten en leningen op het achterplan geraakt. Hij legde me uit dat het een noodzakelijkheid was om te blijven investeren, zodat Haute Cuisine vooralsnog succesvol van de grond kon komen.

De veiligheid die zijn warme borstkas me gaf, droeg ik met me mee tot thuis. Ik zweefde!

Ik aanschouwde zijn karige woonkamer en zag twee plastic stoelen. Net zoals die in het restaurant. Op de zwaar bekraste tafel lagen stapels papieren en enveloppen die hij netjes leek te hebben geordend. Terwijl ik me neerzeeg op de vaalgrijs linnen driezitbank, zag ik een rek van houten planken en stenen dat diende als boekenkast. Maar die omgeving vervaagde wanneer ik Roel in de ogen keek. De muziek van Eros Ramazzotti vervoerde me. Die bracht me terug naar mijn onbezorgde jeugdjaren.

Hij kwam langzaam dichterbij en trok me uiteindelijk zachtjes naar zich toe. Mijn lichaam zakte weg in de kussens en in hoopvolle gedachten. Elke gedachte verstilde. Zijn lippen kwamen steeds dichterbij. Alsof ik me gebrand had aan een kachel, trok ik me terug.

'Roel. Laat het ons rustig aan doen.'

'Ik houd wel van vrouwen die niet zo gemakkelijk te veroveren zijn.'

Ik schrok toen ik op de klok keek.

Elf uur voorbij! Het was zaterdagavond.

Angela zou zich minder druk maken. Ze was met onze auto

naar een of ander seminarie over een nieuwe vorm van 'jeugdbegeleiding'.

'Ik moet gaan.'

'Ik hoef je toch niet weg te brengen?'

'Nee. Ik neem wel een taxi.'

'Fijn zo! Zelfstandige meid!'

Mijn wereld bij Roel werd een verademing. Ik vertrok bij Angela in mijn klassieke kleding en kleedde me om in mijn pas gekochte autootje. Ik wilde in een sportieve spijkerbroek voor hem verschijnen. Met mijn haar los voelde ik me vrouwelijker. Ik balanceerde tussen verliefdheid en tussen 'de redelijkheid' die Angela me meegaf, maar soms raakte ik die roeispanen kwijt. Wanneer kon je pas écht vertrouwen krijgen? Stukje bij beetje geloofde ik niet meer in de 'onbetrouwbare monsters' waarover Angela het had als ze het over mannen had.

Ik wilde Angela niet verliezen, maar Roel evenmin. Er volgden maanden van onophoudelijke discussies met Angela en van heet kolkende verliefdheid die mijn wereld omgooide.

'Berlinda.' Hij keek me aan en ik verdronk. In zijn ogen, in de macht van rode wijn en volledig in de ban van hem. Of in de verliefdheid op de liefde? Roel is een familyman, zoveel was zeker, want dat had hij net te kennen gegeven met een grote warmte in zijn ogen. Moest ik met hem verder gaan?

Mijn verliefdheid bracht mij aan het wankelen. Zijn standvastigheid, die ik de vorige keer zo bewonderde, deed me nu trillen. Ik nam het zekere voor het onzekere en rechtte mijn schouders.

'Roel, ik wil dat je één ding weet. Ik zal over een kleine anderhalve maand naar Engeland vertrekken om een sterilisatie te laten uitvoeren. Ik ben geen vrouw die gemaakt is voor een gezinsleven. Ik heb er het zenuwstelsel niet voor,' verklaarde ik vol zelfovertuiging.

Ik zag Roel opveren. 'Meisje, je bent nog maar net twintig en je gaat je lichaam definitief blokkeren? Misschien verandert je visie nog en dan is er geen enkele weg meer terug. Bovendien begrijp ik niet wat jij bedoelt met dat zenuwstelsel.'

'Ik heb een trager bioritme dan westerlingen. Ik weet, vanuit mijn persoonlijkheid, dat ik de combinatie van een carrière en kinderen niet aan kan.'

'Waar haal je dat vandaan?'

'Ik denk er al meer dan vijf jaar hetzelfde over. Ik heb veel van Angela geleerd.' Hij trok zijn wenkbrauwen op terwijl ik verder ging: 'Het is bewezen dat oosterlingen een ander bioritme hebben dan westerlingen. Bovendien weet ik niet welke genetische bagage ik meedraag. Ik wil een kind niet opzadelen met afwijkingen. Die afwijkingen kunnen soms pas na enkele generaties de kop op steken. Als je biologische familie hebt, dan kun je dat checken.' Het klonk overtuigder dan ik me voelde.

Roel werd ongedurig. 'Dat zijn dingen waar je zelfs niet bij mág stilstaan! Niets in het leven is zeker! Een afwijking kan altijd de kop op steken, ook van mijn kant. Ik weet immers ook niet wat de problemen waren van mijn overgrootouders.'

Ik zakte weg in een vreemd soort verslagenheid en wilde mijn overtuiging en beslissing – nu het eindelijk zover was – niet 'zomaar' omver laten duwen. Angela zag me nu eindelijk na al die jaren als volwassen en standvastig!

'Ondanks alles, Roel, ga ik volgende week mijn ingreep laten uitvoeren. De afspraak is al gemaakt.'

Dat had Angela voor me gedaan.

'Ik weet niet goed wat ik zeggen moet, maar je verrast me. Ik heb nooit eerder met zo'n kwestie te maken gehad, al ben ik veel ouder dan jij. Ik hoop alleen uit de grond van mijn hart dat die beslissing weloverwogen zal zijn. Meisje, ik ben bang dat wij geen toekomst kunnen hebben als jij er bewust voor kiest om je definitief te laten steriliseren.'

Zijn uitspraken vielen in als hagelbollen. Wat moest ik nu? Volharden in mijn starheid?

Het roer van mijn schip vol overtuigingen omkeren? De nacht was klam en druilerig toen ik weer naar huis toe reed.

Najaar 2000

In die tijd piekerde ik me suf. Roel leek onverwoestbaar in zijn overtuigingen, maar ik evenzeer in de mijne. Anderzijds trok zijn 'starheid' me aan, want dat zag ik toen als 'stabiliteit'. Die week, na de discussie, voelde ik me ontheemd. Ik hield mijn mobieltje bij me, haast alsof het aan me was vastgeroest. Geen signaal. Ik checkte honderden keren per uur, bang dat ik een bericht te laat zou hebben gezien.

Angela's vragen over zijn 'bedcapaciteiten' omzeilde ik behendig. Pas enkele dagen later kreeg ik een bericht van hem. Mijn handen beefden, zodat ik het mobieltje bijna uit mijn handen liet vallen.

'Lieve Berlinda. You turned my whole world upside down. Ik weet niet meer waar ik met mezelf naartoe moet. Maar ik weet wel dat ik om je geef en dat ik ons een kans wil geven. Warme knuffel, Roel.'

Als ik veilig in de armen van Roel lag, wílde ik niet meer nadenken. Geborgenheid. Bevestiging, was alles wat ik vroeg. Ik leverde me over aan verliefdheid. Hij adoreerde me. Hij geloofde in ons. Hij geloofde in mij als moeder van zijn kinderen. Welke eer kon een man me nog meer geven, dacht ik toen. Mijn hunker naar veiligheid nam toe.

Ik klampte me aan hem vast; met mijn vingers, met mijn armen, met mijn benen, maar vooral met het jong kloppende hart van een onervaren veulen. Verwachtingsvol, alle ellende achterlatend, dartelde ik de wereld van Roel in. Precies één week voor mijn geplande vertrek naar Engeland. Mijn eerste liefde,

Roel, die me sterkte gaf om weer naar huis te gaan en het tumult met krachtige tong tegemoet te treden.

De sterilisatie kwam ongemerkt dichterbij geslopen. De avond voordat ik naar Engeland vertrok, belde Roel me. Hij praatte over de moeilijkheden bij de opstart van zijn restaurant en over zijn ex die streng van hem eiste om met uitkoopgeld over de brug te komen. Ik wilde die vriendelijke toon waarmee hij nog over zijn ex sprak niet meer horen. Het gesprek over de sterilisatie was onvermijdelijk maar kort. Hij prees mijn moedigheid, maar gaf toe dat hij vraagtekens zou hebben bij de toekomst van onze relatie.

Ik werd vreselijk bang. Ik wilde hem niet verliezen. Hij gaf me dat gevoel alsof ik in een andere wereld leefde. Die nacht sliep ik, ondanks mijn rotsvaste overtuiging, niet veel. Ik kon niet ontkennen dat het een zeer zware ommekeer voor me was. De trein vertrok om zeven uur 's ochtends. Angela hield de hele rit lang haar arm om me heen geslagen. Ik genoot weer van dat gevoel van verbondenheid. De treinrit duurde vier uur, maar het leken er acht.

Om elf uur zouden we in Waterloo Station in London aankomen. Vandaaruit moesten we de bus nemen tot aan de kliniek. Er was gepland dat ik op consultatie zou gaan bij dokter Kingsberry, vervolgens zou mijn ingreep om drie uur plaatsvinden. Net voor we aankwamen kreeg ik een berichtje van Roel waarin hij me schreef dat hij aan me dacht. Het deed me goed te weten dat Roel ondanks zijn eigen mening toch met me meeleefde. Angela maande me door te lopen en 'niet met mijn telefoon te lopen prullen'. Ze was bang dat we een van de vele bussen naar de kliniek zouden missen.

Het hospitaal zag er steriel en erg ouderwets uit. We begaven ons met onze bagage naar de receptie om ons aan te melden. Daar zag ik een nors uitziende dame van een jaar of vijftig. Haar dikke brilglazen, omgeven door een dik bruin montuur, hingen halverwege haar neus toen ze ons aankeek. Er bleek een intakegesprek met een psychologe voorzien, voordat ik bij dokter Kingsberry zou binnengaan.

Angela maakte aanstalten om de gespreksruimte mee binnen te wandelen, maar de verpleegster gebood haar vriendelijk te wachten in de gang. Angela slaakte een luidruchtige zucht. Ik moest ook toegeven dat ik me wat onwennig voelde, omdat Angela er niet mocht zijn. Angela, mijn houvast, mijn bondgenote. Zeker nu!

De gesprekstherapeute was een jonge vrouw. Haar jonge leeftijd stelde me op mijn gemak. Haar korte blonde haar droeg ze in speelse plukjes, waardoor haar blauwe ogen nog meer leken te sprankelen. Ondanks het feit dat ze me op 'de pijnbank' zou leggen mocht ik haar wel. Het voelde op een of andere manier niet bedreigend aan. Haar naam was Kate.

'Zo Berlinda. Jij bent hier gekomen om een zware beslissing te laten uitvoeren.'

'Inderdaad.' Ik voelde opnieuw een volwassen kordaatheid omhoog kruipen.

'En hoe voel je je bij deze grote beslissing?'

'Ik heb hier jaren over nagedacht en ik weet nu heel zeker dat kinderen niet voor mij zijn weggelegd. Ik ben nog jong, maar beschik over een grote maturiteit. Vandaar dat ik mezelf ook in staat acht deze beslissing te nemen.'

'Ik vind het héél erg moedig van je! Ik heb nu zelf een kindje en ik zou me niet kunnen voorstellen dat Sunita niet in mijn leven zou zijn.'

'Sunita, zei je? Een Indiase naam?' Ik ging iets meer naar voren zitten.

'Ja, Sunita heet ze. Mijn man komt uit Goa. Ik denk trouwens dat jij ook uit die regio moet komen, gezien je morfologie.'

'Ja, dat klopt!' riep ik opgetogen.

'Sunita is eigenlijk net zo licht van kleur als jij. Misschien ben je niet helemaal volbloed Indiase?' zei ze. Ik had er nooit eerder bij stilgestaan. Ze stond op en liep naar haar bureau. Ze haalde er het goudomlijste fotokadertje af dat met de rug naar ons toe stond.

'Kijk, dit is Sunita. Deze foto is op haar tweede verjaardag genomen, enkele maanden geleden.'

Mijn adem werd weggerukt.

Ik staarde het papier aan en zag hoe het papier door mijn emotie tot leven werd gewekt. Daar zag ik een meisje dat sprekend op mijzelf leek toen ik twee was. Ze had vrolijke, donkere ogen. Ze leken op zware pareltjes. Haar lach verried haar zorgeloze bestaan. Op de foto hield ze haar kleine handjes openlijk vooruit, alsof ze erom smeekte opgetild te worden. Haar jurkje zat scheef, maar dat leek haar niet te deren. Ze keek zo trots naar de lens. De Indiase fierheid zag je heel duidelijk in haar houding en gezichtje. Ik weet niet meer wat er toen met mijn lichaam gebeurde. Ik voelde hoe de trillingen in mijn handen en voeten meester van me werden. Mijn nek trok bij elkaar zodat de pijn vlijmscherp werd. In no time trok de pijnscheut naar mijn hoofd. Wat gebeurde er met me? Mijn lippen trilden... en plots – zonder het zelf te willen – viel de foto uit mijn handen. Kate ving de foto nog bijtijds op, alsof ze had voorzien dat dit zou gebeuren.

Het bekende hangslot in mijn keel, was stevig dicht geklikt! Ik smakte de deur achter me dicht en rende als een gek de gang op. Gelukkig zag ik Angela daar niet meer zitten, zodat ze me niet in deze 'zwakke' staat te zien kreeg. Ik draaide de hoek om en sloot me op in het toilet. Daar voelde ik hoe mijn tranen met volle kracht uit mijn lichaam stroomden.

Dat kleine meisje op die foto had mijn hele zijn ondersteboven gehaald. Of werd ik nu pas werkelijk met mezelf geconfronteerd? Mijn middenrif schokte. Ik dacht aan mijn biologische moeder. Zij heeft me misschien met grote hartpijn moeten achterlaten, en uitgerekend ik zou ervoor kiezen om geen leven op de wereld te zetten?

Een voldongen feit!

Het deurgeklop riep me terug naar de staalharde werkelijkheid.

Kate stond voor me.

'Berlinda meisje. Ik heb erg met je te doen.'

Ze legde haar hand op mijn schouder.

'Je hoeft nu niets te beslissen. Er is nog helemaal niets gebeurd.'

'Dank je, Kate. Maar wat gaat Angela dan zeggen? Zij heeft zoveel voor me gedaan om tot hier te komen.'

Ik schrok zelf van mijn eerste reactie. Ondanks mijn paniek.

Angela's mening was op dat moment nummer één in mijn hoofd.

'Dat lossen we meteen professioneel op. Dokter Kingsberry handelt dit discreet af. Het belangrijkste is dat jij je goed moet voelen. Welke beslissing je ook neemt.'

'Kate, ik wil dit nu nog niet.' De zin kwam eruit alsof stenen uit mijn middenrif werden gehaald. 'Ik wil het nu nog niet.'

'Als je het goed vindt, Berlinda, gaan wij met z'n drieën – dokter Kingsberry, jij en ik – over een "administratieve nalatigheid" praten. Jouw afspraak kan door een fout met je papieren niet doorgaan. Op die manier krijg jij de kans en de tijd om dit met Angela te laten bezinken. En zo hoef je je niet bedreigd te voelen. Wat denk je?'

'Ja, kunnen we het zo oplossen?' smeekte ik.

'Blijf jij maar even hier. Ik ga nu naar dokter Kingsberry en ik bespreek het met hem.'

Het leek wel – net als toen in de jeugdrechtbank zoveel jaar geleden – dat iemand het van me overnam bij deze beslissing. Ik dreigde te kapseizen. Ik moest nu zelf voelen wat ik nodig had.

Nadat Kate me even alleen had gelaten droogde ik mijn tranen zo goed mogelijk. Intussen zat Angela in de gang.

We zouden zodadelijk 'gewoon' bij dokter Kingsberry binnenstappen. Toch keek ze, zoals steeds, door mijn ogen heen. Ik mompelde iets over de geur van ontsmettingsalcohol die me op de adem sloeg. En zodoende vroeg ze me niets. Godzijdank! Als het om gezondheidsaangelegenheden ging en over de invloed van 'chemische troep', kon ik Angela steeds overtuigen.

De consultatieruimte van dokter Kingsberry bevond zich op de tweede verdieping. Het wachten in de gang leek een eeuwigheid te duren. Ik kon Roel geen berichten sturen, want telefoons moesten uit blijven in de kliniek. De enige bezigheid die me restte was de vrouw gade te slaan dat voor me zat. Ze moest ongeveer een jaar of vijfentwintig zijn. Ze was mooi met zacht golvend koperen haar. Haar mooie groene ogen stonden verschrikkelijk triest. Een ineengezakte houding verried dat zij beslissingen moest nemen waar ze niet achter stond. In de kliniek werden ook abortussen uitgevoerd. Misschien had het daarmee te maken? Nog voordat ik verder kon denken, stak dokter Kingsberry zijn hoofd in de deuropening om ons te roepen. Mijn moment was eindelijk aangebroken. Ik was zenuwachtig.

Dokter Kingsberry had geen 'typische doktersuitstraling'. In tegenstelling tot wat ik verwacht had, zag hij er vrij jong uit. Zijn grijzende slapen straalden charme uit. We namen plaats aan zijn chaotische 'geordende' bureau. Hij overliep kort wat me te wachten stond en hoe de ingreep zou verlopen.

Angela viel hem in dat ze kennis had van de medische wereld en dat ze op de hoogte was van de ingreep. Opnieuw voerde Angela het woord omdat haar Engels en medische kennis er zich – volgens haar – beter toe leende.

Na het gesprek volgde een kort onderzoek om even na te checken of mijn lichaam in orde was om de ingreep te ondergaan. De dokter deed even teken naar Angela, om buiten de cabine te blijven.

Toen het onderzoek achter de rug was, rondde dokter Kingsberry af met de boodschap dat mijn lichaam perfect in orde was om de sterilisatie te laten uitvoeren.

'Goed, Berlinda, dan zie ik jou eind juni voor de sterilisatie,' rondde hij af, terwijl hij zich opdrukte aan het tafelblad.

'Wat?' vloog Angela op. Ze schudde met haar hoofd. Zoals steeds wanneer ze zich trachtte in te houden. 'Dokter Kingsberry, ik heb twee dagen vrij genomen en zélf geen enkele patiënt kunnen aannemen omdat ik hier moest zijn voor twee dagen! Bovendien heb ik zelf een hotel moeten boeken voor deze nacht. Ik eis dat dit vergoed zal worden.'

Ze klapte haar hand op het bureaublad, zodat dossiers de grond op zwaaiden.

'Mevrouw, u hoefde hier niet aanwezig te zijn. Het ging duidelijk om een consult voor juffrouw Geerink. U hoefde niet vrij te nemen.'

'Hier komt een gevolg aan!'

Ze nam me bij de arm en stevende weer de gang in waarbij ze de deur van de consultatieruimte liet dichtklappen. Die avond dineerden we in een kleine brasserie. De kippenbout met gezouten chips en een doorkookte maïskolf smaakten me niet. Ze had de gewoonte om uren door te drammen over iets wat haar niet zon. Maar nu zweeg ze, wat me beviel. Mijn zoute tranen vielen op de chips. Ach, wat zijn ook twee maanden uitstel in een mensenleven?

'Meid, morgen maken we er gewoon een leuke citytrip van. We maken van de nood een deugd,' stelpte Angela mijn ontgoocheling. Marie Tusaud. Ik wou dat ik maar een wassen pop was.

Eenmaal thuis belde Roel me meteen. Ik kon niet veel vertellen omdat Angela in de buurt was. Ik vertelde hem haastig dat de ingreep niet had plaatsgevonden. Hij snapte meteen dat ik niet veel per telefoon kwijt kon en zo spraken we snel weer af.

Toen ik de hoorn neerlegde, kwam Angela naast me staan. 'Zie je Roel morgen?' vroeg ze met dichtgeknepen ogen. Ze had me afgeluisterd!

'Hij gaat jou natuurlijk van het idee af halen. Hij is immers een familyman en zoekt een vrouwtje met diezelfde overtuiging. En jij Berlinda, als jij verliefd wordt, ga je je er misschien toe laten verleiden om de afspraak volgende maand af te lasten. Houd er rekening mee dat ik je ingreep heb overgeschreven aan Dokter Kingsberry.' Ik voelde de onomkeerbare dreiging in haar stem.

'Angela, wees niet bang, ik ben er echt van overtuigd dit te ondergaan.' Ik moest wel liegen. Ik kon niet meer terug. Haar antwoord vertaalde ze in een warme knuffel. Het deed me goed dat Angela me even vastpakte. Het gaf me sterkte. Wat voor sterkte het ook was.

Roel parkeerde zijn auto voor onze deur. Mijn hart ging sneller slaan toen ik zijn grote lange gestalte de oprit op zag wandelen. Hij had zich mooi gekleed in zijn strakke blauwe jeans en zijn antracietgrijze survivalhemd. Ik liep snel naar boven om in de spiegel te kijken.

Ik had geprobeerd me zo hip mogelijk te kleden met de kleding die ik had. Mijn zwarte klassieke broek had ik gecombineerd met een strak zwart topje, zodat mijn boezem discreet werd geaccentueerd. Het witte sportieve jasje met grijsmetalen drukknopjes maakte mijn look eerder casual. Mijn haar zette ik met één speldje vast. Dat ik straks ook wel weer zou losmaken.

Angela deed de deur open. Ze kon uitgelaten zijn bij het ontmoeten van nieuwe mensen. Maar dat enthousiasme was ze meestal even snel weer kwijt. 'Kom, zet je even neer. Berlinda is nog even in de badkamer.'

Hij keek me bewonderend aan toen ik de trap afliep. Het voelde goed. Want ik was zo verdomd onzeker over de stijl ik mezelf had aangemeten. Eigenwijs. We gaven elkaar een vluchtige kus op de wang. Angela had Roel al 'geïnstalleerd' met een kop saliethee. Tot mijn grote verbazing was hij gek op de saliethee. Of deed hij maar alsof? Angela kletste honderduit over de misgelopen afspraak in Engeland. Ik wilde alleen zijn met Roel. Hij leek hetzelfde te voelen, want hij tikte even op mijn knie.

Even later zaten we op een groot tuinterras onder de zacht wuivende treurwilgen. Hij stak zijn opluchting over de afgelasting van de sterilisatie niet onder stoelen of banken en stelde me tegelijkertijd voor een ultimatum. Geen kinderen zonder hem of een leven mét kinderen met hem.

Hij had zopas nog een meisje leren kennen en zij wilde wel kinderen. Wat wilde hij zeggen? Ging hij met haar verder als ik ervoor zou opteren geen kinderen te willen? Wat moest ik doen? Hem of Angela voor de kop stoten? Zou ik mijn leven op de helling durven te gooien?

Thuis liep ik meteen naar mijn kamer en gooide me languit op bed. Snikken. Gesmoord in mijn hoofdkussen, zoals papa me had geleerd wanneer je 'onzichtbaar' wilde zijn met je verdriet. Kon ik nu maar gewoon het knopje 'verliefdheid af' indrukken, dan was alles opgelost! Ik vertoonde me zo weinig mogelijk in de buurt van Angela want ik wilde niet transparant zijn. Mijn hoofd deed pijn van de overwegingen, maar ik voelde me voor het eerst vrij als een meeuw boven een kolkende zee.

Thuis meed ik het liefst onze 'tafelgezelligheid' en de 'keuvelgesprekken' op het bed, maar daar kon ik niet altijd aan ontkomen. Ik was meester geworden in het vermijden van 'de sterilisatiekwestie' en omzeilde het door ronduit over mijn verliefdheid te praten. Al was dat laatste niet makkelijk, want Angela bleef mijn overtuigingskracht voortdurend op de proef stellen, alsof ze bang was dat haar mentale en financiële investering op een slap koord aan het wankelen sloeg.

De tijd drong. Ik had nog één kleine maand om mezelf weer bij elkaar te rapen! Het zou makkelijker zijn geweest als deze liefde onbeantwoord zou zijn gebleven. Roel piekerde net zoveel als ikzelf. Dit thema verscheurde me niet voor niets. Alles in me en om me heen, leek in tweestrijd te leven. Maar uiteindelijk koos ik voor Roel.

Ik huilde en lachte tegelijkertijd in zijn sterke armen. Hij sterkte me door zijn stilzwijgen, en door mijn tranen te drogen. De stem in mezelf begon steeds luider te praten. Een taal die eindelijk zou doordringen tot in mijn verdoofde hersenen.

Nu ik stilaan uit mijn jarenlange 'winterslaap' ontwaakte, worstelde ik met Angela. Hoe moest ik haar in godsnaam vertellen dat ik niet meer naar Engeland wilde? Ik moest er met Angela over praten. Twee voor twaalf!

Ik ging tegenover haar zitten aan de keukentafel en begon: 'Angela, ik moet met je praten.' Het slikken maakte mijn mond almaar droger.

Angela kwam tegenover me zitten. Ze nam haar bestudeerde luisterhouding aan, waarbij ze zich goed voorover boog en haar hoofd schuin hield. Ik dacht dat de hartkloppingen in mijn hals mijn aders zouden doen barsten.

'Ik weet niet hoe ik moet beginnen, maar ik voel me niet helemaal klaar voor de ingreep sinds ik Roel heb ontmoet.'

Mijn stem zakte weg terwijl Angela's blik verijsde. Ze klemde haar lippen op elkaar en keek me nog indringender aan. 'Wát zeg je?'

Ik prevelde opnieuw dat ik er niet klaar voor was.

'Wát? Ik nam aan dat je verstand die idiote bevlieging van je zou overstijgen!'

De stilte van daarnet bleek voorbode voor haar stormreactie.

'Angela, ik weet dat jij erg je best hebt gedaan om mij te steunen in mijn beslissing…' Ik probeerde zo standvastig mogelijk te klinken.

'En?' Angela tikte ongeduldig met de blauwe balpen op het tafelblad.

'Ik moet toegeven dat ik misschien inderdaad niet ver genoeg ben in mijn leven om de sterilisatie te laten doorgaan.'

'Je hebt me jarenlang in de maling genomen! Twee gezichten heb je! Ga onder mijn ogen uit.' Ze wees kordaat naar de deur. 'Ik wil je voorlopig niet zien! Laat je eten maar staan en ga naar je kamer!'

'Angela, denk je nu echt dat ik nog een kind ben dat je zonder eten naar bed kunt sturen?' Ik voelde me verbazingwekkend kalm worden.

'Je gedraagt je anders wel navenant!'

Een stemmetje in mijn hoofd jengelde steeds opnieuw: 'Je hebt haar belogen!' Ze deed zoveel voor me en ik sloeg tegen haar inspanningen aan alsof ik maar simpelweg tegen een kaartenhuisje aan tikte. Was ik werkelijk zo labiel?

Een uurtje later kwam Angela tot mijn grote verbijstering op mijn kamerdeur tikken. 'Als ik net zoals mijn vader was geweest, dan was je nu bont en blauw, maar ik heb gelukkig geleerd uit mijn opvoeding en uit mijn studies. Berlinda, ik heb even voor mezelf nagedacht.

De stilte stond me niet aan.

'Verliefd worden is menselijk. Ik ben zo vaak verliefd geworden in mijn leven. Het lijkt me verstandig dat we niet zo drastisch gaan doen hier. Je laat het allemaal nog even bezinken. Het gaat tenslotte om een simpele verliefdheid die je verstand bezoedelt. Als Roel écht van je houdt dan blijft hij bij je ondanks de sterilisatie.'

Weer die stilte.

'Je hoeft bovendien niet erg te panikeren, Roel kan van jou

blijven houden en jij van hem. Hij kan gewoon de vrouw zoeken met wie hij kinderen wil en de passie met jou stiekem blijven beleven, toch? Jij de lusten. Zij de lasten!'

Ze verklaarde het op een doodgewone manier, alsof het zo hoorde. Roel met een andere vrouw? Ik kon de gedachte niet half verdragen! Ik leek steeds weer te koorddansen.

Zoals elke 'storm' steeds tijdelijk was, sloeg Angela ook nu weer om. Alleen keerde het tij minder gemakkelijk dan ooit voorheen. Die week na het gesprek met Angela trok ik me terug in mezelf. Mijn ingebeelde cocon. Hoe meer ik nadacht, hoe meer ik mijn eigen stem hoorde weerklinken.

Ik besloot dokter Kingsberry te bellen. Ik wilde het echt niet. Het moest maar. Mijn hele leven zou erdoor worden beïnvloed. Bovendien had ik van de nieuwe pil die mijn huisarts me had voorgeschreven geen noemenswaardige last. Ik beefde als een klein kind dat een lolly had gejat in een supermarkt, toen ik de secretaresse van dokter Kingsberry zelf aan de lijn kreeg. Ik hoorde me de afspraak annuleren. Ik mocht gewoon even niet aan de gevolgen op korte termijn denken.

Die avond – toen ik met haar aan tafel zat – voelde ze hoe mijn knieën tegen elkaar aan tikten. Mijn ineengehouden hand-palmen voelden klammig aan.

'Meisje voor de dag ermee. Je hebt me iets te vertellen.' Haar dichtgeknepen ogen kogelden me aan flarden.

'Angela ik moet je inderdaad wat bekennen. Ik moet mijn leven zelf leren organiseren en voor mezelf uitmaken wat ik wil met mijn leven,' begon ik zo discreet mogelijk. Ik wil alleen maar zeggen dat ik Dokter Kingsberry…'

'Kind, draai niet rond de pot! Wat heb je gedaan?'

Ik voelde me een kleuter die op het matje moest komen.

Was het leven maar heel even weer zó simpel!

'Ik heb de afspraak met dokter Kingsberry afgebeld.'

Oef! Het was er eindelijk uit!

'Ben jij nu echt helemaal knettergek geworden? Ben je nu echt zo labiel? Ik faal hier ontzettend in mijn mensenkennis!'

'Angela, misschien ben ik tóch nog niet zo standvastig, daarin heb je gelijk. Ik ben nog jong en moet veel uitzoeken voor mezelf. Dit voordat ik ooit onomkeerbare beslissingen neem.'

'Wat heb ik dit zo fout ingeschat! Je bent echt nog een kind!'

'Ik ben volwassen. Alleen kunnen jonge volwassenen ook nog uitzoeken waar ze naartoe willen.'

Het leek heel even alsof ík voor psychotherapeute speelde.

'Zwijg! Ik ben, nota bene, al die dokters met jou af gegaan. Ik heb de reservaties gemaakt in het buitenland! En wat krijg ik?'

'Ik heb de praktijk nog nodig. In mijn hoofd weet ik veel, maar ik moet nog leren voelen en ervaren.' Het verbaasde me dat ik het zo rustig kon verwoord krijgen. Het leek alsof ik vanuit een roes praatte, al wist ik verdomd goed waarover ik het had!

'Zwijg! Je hebt mijn vertrouwen beschaamd!' schreeuwde ze terwijl ze de voordeur achter zich dichtgooide. Het glas in lood donderde er bijna uit. De uren die ze wegbleef, god weet waar naartoe, bleef ik kalm liggen staren. Ik maakte me voor het eerst geen zorgen om waar ze heen was en om hoe laat ze zou terugkomen.

Ik wist meer dan ooit dat ik het recht had mijn eigen beslissingen te nemen. Het was even na elven in de avond toen ze weer terug thuis kwam. Ze vertelde me niet waar ze was geweest en dit keer interesseerde het me ook niet. Zonder veel woorden trok ze zich terug op haar kamer. Het was vreselijk om met haar in die periode samen te werken. Na enkele dagen zocht ze weer toenadering. Ik begon me te realiseren dat Angela enkel mij nog had. We deden raar genoeg geen activiteiten meer waarbij we moesten praten. Angela leek te beseffen dat elk gesprek tussen ons olie op vuur was.

Begin 2005

Angela en ik gingen boodschappen doen in het centrum van Antwerpen. Zoals steeds op zaterdag. Daar! Dat kon niet! Ik verbeeldde het me maar... Ranjan. Hij stond er in een bewakingsuniform, vlak bij een bankautomaat. Kort krullend haar, lang en slank. Die grote kraalogen! Die uitgesproken jukbeenderen! Dat kon alleen Ranjan zijn!

'Ranjan!' Elk geluid in mijn keelgat werd gesmoord door emotie.

'Loop nu maar gewoon door, Berlinda.' Ze zei het alsof ik me onnodig druk liep te maken. Doorlopen! Hoe kon ik zomaar doorlopen? Mijn hart spleet uit elkaar. Ik dacht terug aan het telefoonnummer van Ranjan dat ze enkele weken geleden vroeg aan zijn pleegouders onder het mom dat 'een oude vriendin' dat had gevraagd. Ik zag terug hoe ze ermee kwam aandraven en het uiteindelijk, na haar ogenschijnlijke twijfel, kapotscheurde. Nog voor ze het me in handen gaf. Waarom? Als therapeute kon dit toch écht niet! De vervreemdingen. De angst. Het verlangen.

Het moest Ranjan zijn. Een blik van herkenning, of van heimwee? Hij keek snel weer weg en ging nauwgezet verder met het inladen van metalen koffertjes. Dan was hij toch niet in een crimineel milieu terechtgekomen, zoals Angela zo vaak had geopperd. Ranjan keek nog één keer achterom, toen hij het portier van de gepantserde buswagen achter zich dichtsloeg. De wagen reed weg, opnieuw weg van mij.

'Ranjan!' schreeuwde ik.

'Doe niet zo hysterisch,' klonk het naast me. Ik kreeg plots het gevoel dat ik een dramaqueen was. 'Je huilt om niks.' De koele

stem van Angela. Hoe en wanneer zou ik Ranjan ooit weer tref-
fen? Als ik bij Angela bleef, zou hij 'overleden' blijven. Het kon
me niet schelen hoe ik erbij liep in de overvolle bioscoop. Meteen
zou het donker worden, dan kon ik mijn tranen met ingehouden
snikken laten stromen. Ik zou me er wel uit kletsen als Angela
wilde gaan 'filosoferen' over de film die ze zelf had uitgekozen.
Het kon me geen moer meer schelen.

Ik wilde Ranjan zien. Het moest ooit lukken. Maar hoe en
wanneer? Zou hij mij nog terug willen zien? Kon hij me vergeven? Ik kende het adres van zijn pleegouders nog steeds uit
mijn hoofd. Zou hij er nog wonen? Zou ik bellen, schrijven?
Misschien moest ik alvast maar eerst beginnen met een eigen
e-mailaccount. Eentje met een paswoord dat Angela niet kende
zodat ze mijn postvakken niet meer kon dirigeren, zoals ze zo
vaak deed. Ik verafschuwde het dat ze mails, in mijn naam, naar
klasgenoten stuurde. Zogenaamd met mijn 'assertiviteit' wanneer
ze me vroegen om mijn cursus te mogen lenen. Ik was tevreden
toen ik zag dat de nieuwe account was aangemaakt. Maar of ik
die ooit zou gebruiken, wist ik niet. Of ik een handgeschreven
brief zou versturen nog veel minder. Of het ooit nog wel goed
kon komen al helemaal niet.

Lente 2005

Eigenaardig. Dit was niet mijn leven, die avond. Angela riep me apart in haar slaapkamer. Ze praatte weer spontaan met me. 'Ik moet jou ook wat bekennen. Iets waarmee ik misschien mijn hele leven al kamp,' zei ze terwijl ze haar rug stutte in kussens. Ondanks onze verkilde band maakte ze me nieuwsgierig. Ze nam me weer in vertrouwen.

'Weet je, Berlinda,' begon ze, 'ik heb mijn hele leven lang nagedacht.'

'En?' Ik kon de onverschilligheid in mijn stem niet onderdrukken. Haar ellenlange filosofische litanieën interesseerden me steeds minder.

'Ik heb gewoon genoeg van de venten!' De manier waarop ze het zei, had niets weg van een bevlieging. 'Ze gaan toch vreemd en eerlijk zijn ze nooit. Vrouwen zijn in alle opzichten zachtaardiger.' Mijn nieuwsgierigheid werd uiteindelijk tóch geprikkeld en ik moet ietwat meer geïnteresseerd hebben opgekeken.

'Ik val voor vrouwen.'

'Wat?' Ik riep het ergens diep vanuit mijn keelgat.

'Ik heb relaties gehad met vrouwen tussen mijn achttiende en tweeëntwintigste. Ik genoot van de seks met ze. Ze waren zoveel zachtaardiger dan een man.' Ik kende haar blik intussen als geen ander. Ze meende het!

'Ik heb het te lang ontkend voor mezelf, maar nu, nu ik vijftig ben, vind ik dat ik ermee voor de dag moet komen. Ik kan deze gevoelens niet langer met me meeslepen. Ik moet er eindelijk naar gaan leven. Ik weet dat ik jou vaak ellende heb bezorgd met mijn frustraties.'

Ze gaf een fout toe! Inderdaad, haar frustraties hadden stukje bij beetje aan mijn ontluikende identiteit geknauwd. De vraagtekens doen toenemen en mijn diepgewortelde onzekerheden gevoed. Hoe kon het mogelijk zijn dat ze 'gespecialiseerd' was in psychologie? Het gedreun in mijn hoofd verdoofde elk gehoor. Ik had al die jaren met haar geleefd. Had ze daarom halsstarrig ontkend dat ik een jonge vrouw was? Had ze mij daarom destijds een beetje naar 'mijn eerste keer' toe gedwongen op een zachtaardige manier, zodat ik een afkeer zou krijgen? Het beeld in mijn hoofd was me even onduidelijk als het sneeuwbeeld op een televisiescherm.

Ik ging naar mijn kamer en klapte de deur luid achter me dicht. Een onuitgesproken protest. Hoeveel vragen ik ook had. Ik besloot er nooit meer op terug te komen en ik hoopte uit de grond van mijn hart dat ook Angela het bij deze ene verbijsterende uitspraak zou houden.

Angela keek me bestuderend aan. Het licht van de keukenspots accentueerden haar zwart omlijnde ogen. 'Berlinda, je bent nu eenentwintig. Denk je niet dat je oud genoeg bent om van onder mijn vleugels te vertrekken?' Ik schrok. Meer nog van de zachtaardige toon waarop ze deze vraag stelde.

'Wat bedoel je, Angela?'

'Wel, jij en Roel zijn nu een paar maandjes gelukkig samen. Je kunt toch rustig met hem samen gaan wonen? Je stopt hier in de zaak, en je hevelt je zelfstandige statuut over naar zijn zaak. Het zou beter voor ons beiden zijn, Berlinda. Wij maken elkaar kapot.'

Eén ding was zeker: Angela was meester in het zaaien van verbijstering.

'Het overvalt me wel, maar misschien heb je wel gelijk.'

Als dit nu een testvraag was geweest, dan had ik het mooi verknald met mijn eerlijkheid!

'Wel meid, vraag het hem gewoon. Als hij van je houdt, dan wordt dit vast de gelukkigste dag uit zijn leven. Zo niet, dan weet je meteen voldoende.'

'Hoezo?'

'Dat hij niet genoeg van je houdt.' Opnieuw leek het leven voor haar zo verdomd eenvoudig. Ik twijfelde. En eigenlijk ook niet. Alles kon beter gaan! Het zou goed kunnen gaan tussen mij en Angela als ik mijn eigen volwassen leven in handen zou nemen. En… het idee met Roel een leven aan te gaan deed me in het rond springen als een jong veulen. Ik was smoorverliefd!

Ik liep de wenteltrap op. Het restaurant was al gesloten. De hele rit had ik op automatische piloot gereden. Moest ik nu echt zelf met dit voorstel komen aandraven? Wat als hij het geen goed idee vond? Zou dat effectief betekenen dat hij minder van me zou houden?

Daar stond ik. De keuken werd flauw verlicht door de spaarlamp. Zijn ogen werden glanzende sterretjes toen ik voor hem stond. Ik bracht hortend uit dat het thuis niet meer ging. Hij keek me bezorgd aan en pakte me steviger vast. Die glimlach! Een blik die me meer dan zeker vertelde dat hij op deze dag had gewacht.

'Hier ben je thuis. Hier ben je thuis!' herhaalde hij telkens weer mij optillend en neerzettend op de grond. Ik kreeg vleugels. Mijn leven kon eindelijk pas echt beginnen. We zetten de hele samenwerking op poten. Mijn eigen leven. Ik jubelde. Samenwonen! Ik voelde me een hele dame!

Zijn voorstel om de zaak samen te runnen vond ik idyllisch, want zo hoefden elkaar nooit meer te missen. Materieel leefden we erbarmelijk, maar liefde zou ons leven rijker maken. We zouden de wereld bewijzen dat we sterk waren. Ik tuimelde met volle overgave in het leven van Roel. Ik klampte me vast aan het idee dat hij met me verder wilde.

De brief. Ik had weken geaarzeld. Sinds ik Ranjan terug had gezien, kon ik hem niet meer uit mijn gedachten zetten. Onze kinderjaren. De lach, de tranen, de klappen die we samen hadden doorleefd Mijn angst voor zijn ontkenning. Mijn angst voor de reactie van Angela. Nog steeds was zij toeschouwer van mijn leven. Roel stimuleerde me om Ranjan weer op te zoeken. Het idee tintelde. Ik dacht terug aan Anne, vol schaamte.

Roel was er steeds voor me. Hij werd mijn anker. Dat ik nauwelijks loon kreeg, maakte me op dat moment geen moer uit. Hij kon me niet vergoeden, dat wist ik op voorhand. We zouden er ons samen wel door worstelen. Ik werkte van 's ochtends tot 's avonds laat mee in het restaurant. Ik maakte de gerechten en diende mee op. Ook een groot stuk van de administratie nam ik op me. De dagen waren lang. De weken te kort. We sliepen weinig.

Ik wilde Roel koste wat het kost helpen bij de aflossing van zijn schulden. Ik was het niet gewend om met geld om te gaan. Roel beheerde alles, net zoals Angela dat deed. Het stelde me gerust. Bovendien was Roel elf jaar ouder dan ik. Hij hoorde van alles op de hoogte te zijn. Daar ging ik vanuit. Ik stelde me tevreden met 'kost en inwoon', waarvoor ik veertien uren per dag werkte, zeven dagen op zeven.

Angela belde tot mijn grote ontsteltenis niet vaak. Ik kreeg vaak 'geen gehoor' wanneer ik haar zelf trachtte te bereiken. Roel en ik woonden net één maand samen toen ze me belde.

'Berlinda, ik heb je bewust niet gecontacteerd.'

'Waarom?'

'Waar is jouw storting deze maand?'

Ik moest mijn gedachten even op een rijtje krijgen. Een optelsom leerde me dat ik allang te veel had betaald in verhouding tot de verbouwingskosten. De 'manier van zakelijke afspraken' nog meer. Geen notariële beschrijving. De stortingsbewijzen, zonder mededeling, op haar naam, niet op naam van de zaak. De sleutel die ik meteen moest inleveren toen ik met de verhuiswagen vertrok. De puzzel werd vreselijk helder.

'En?' Haar vraag bracht me terug.

'Angela, ik denk niet dat het opportuun is dit per telefoon te bespreken.'

'Kom to the point, Berlinda!'

Opnieuw voelde ik hoe mijn lichaam begon te trillen alsof ik weer bij haar aan de keukentafel zat. 'Wel, ik wil het hebben over mijn rechten en plichten. Ik heb jarenlang meegewerkt voor het huis. Je hebt notariële beloften gedaan. Ik zie niets. Hoe ben je van plan mijn verdiensten terug te storten? Ik heb zelfs de huissleutel niet meegekregen.'

'Verdiensten?' vloog ze op. 'Jij hebt geen recht op verdiensten! Jij hebt ermee ingestemd om in mijn zaak te werken. Jij hebt er ook mee ingestemd om onze toekomst op de helling te gooien door met een probleempummel te gaan samenleven. Ik dacht dat ik je wat mannen betreft genoeg verstand had bijgebracht. Mijn suggestie om te gaan samenwonen was een test. Een test om te zien of je in staat zou zijn om mij met deze hele handel in de steek te laten. En ja, je kon niet snel genoeg je spullen gepakt krijgen.'

'Ja maar…'

Ze liet me niet uitpraten. 'Je hebt ermee ingestemd om de leningen samen met mij af te betalen. Ik had verwacht dat jij verantwoordelijkheidszin zou hebben, maar opnieuw belazer je mij. Ik moet die hele zaak nu alleen runnen, besef je dat? Het is mooi geweest zo. Je hebt me verraden, in de steek gelaten met de leningen.'

De heftigheid verruilde zich voor een stilte. Mijn tranen sijpelden op Roels laptop. Hij zette het ding voorzichtig opzij. Ik veegde mijn tranen en snot aan mijn mouw. Ik voelde me nietig, zwak, onvolwassen. Zoals steeds het geval was geweest bij Angela.

'Ik reken er ook op,' ging ze verder, 'dat je me niet in de steek laat. Ik verwacht dat je mij de nodige bedragen zult storten om hier het hoofd boven water te houden. Je kunt niet zomaar je ene verantwoordelijkheid ontlopen om in een volgend avontuur te springen. Ik kan het huis niet alleen afbetaald krijgen. Ik zal het moeten verkopen. Je kunt het me niet aandoen, Berlinda!' Ze brieste. Nu haast jammerlijk.

Ik trachtte me te herpakken. Ik dacht terug aan de inzichten die Roel me had gegeven. 'Angela, ik heb alle inkomsten op een rijtje gezet. Behalve dat wat mijn vader jou heeft nagelaten, heb ik voor meer dan vijftigduizend euro meegewerkt om het huis mee af te betalen. Als jij net zoveel verdiend hebt, dan zijn alle kosten ruimschoots gedekt. Waar zijn de bewijzen van de leningen? Wie vertelt me dat het huis me wel degelijk toekomt?'

Puzzelstukjes vielen op hun plaats.

'Ik geef jou niets in handen!' krijste ze. 'Het doet me pijn dat je geen vertrouwen hebt in mijn belofte.'

Ik slikte. Haar stemvolume deed mijn maag omkeren. Mijn keel viel opnieuw in een slot, maar mijn gedachten tolden verder.

'Wel, heb je hierop niks te zeggen, dan?'

'Angela, ik heb je door,' zei ik stil.

'Dom wicht. Zie maar dat je gelukkig wordt met die sukkel. Ik trek mijn plan wel.' gooide ze erachteraan. Ik hoorde een klik. Ik kon niet meer praten. Zelfs tranen kwamen niet. Ik kon het niet vatten. Zij had de meest diepe wonde opnieuw opengereten. Verlating.

Had Roel gelijk in zijn redenering over Angela? Was onze band voor haar niet meer geweest dan een financiële verbondenheid? Waarom moest ik blijven betalen voor een huis waarvan ik de sleutel af moest geven? Waarom die hele sterilisatiekwestie? Opdat ik zou blijven? Het slaan en zalven om me afhankelijk te maken van haar? De voortdurende controle van mijn e-mails?

De verdiensten van de zaak die op haar bankrekening gestort werden? Mijn sociale isolement? Ranjan?

Mijn gezonder wordende verstand dwong zich nu met steeds luidere stem aan me op. Pas dagen later begon er een stemmetje in me te dagen. Wees. Wees. Wees! Het dreunde repetitief door mijn vermoeide hoofd.

Zomer 2006

'Berlinda? Is dat poetsen?' Hij vraagt het grijnzend terwijl hij demonstratief een onooglijk grijsachtig pluisje van een van de tafellakens tussen zijn duim- en wijsvinger houdt. Weer dat kleinerende heen- en weergeknik met zijn hoofd. Steeds weer die kritiek. Om niks. Ik voel me niks. Even klein als het pluisje.

'Als je het beter kunt, doe het dan zelf.' Ik ben tevreden over mijn korte, kordate intonatie.

'Ik heb nog genoeg anders te doen. Jij mag blij zijn dat je een baan hebt. Aan huis op de koop toe. Mijn huis,' voegt hij er in 'alle belangrijkheid' aan toe. 'Ik heb je bij Angela weggehaald. Ik heb je een unieke kans gegeven. Maar mevrouw voelt zich te goed om te poetsen. Is het niet?'

Inwendig loop ik over. 'Weet je waar ik me te goed voor voel?' Ik voel me sterker worden. Er valt een overdonderende stilte. Hij haalt, met diezelfde denigrerende blik, zijn schouders op en zucht uiteindelijk. 'Om zonder loon en contract in je restaurant te mogen werken. Als 'onbezoldigd meewerkend vennoot. Zonder aandelen.'

'Je weet verdomd goed, Berlinda, dat ik je niet kan betalen gezien de uitkoopaffaire met mijn ex. Je werkt gewoon voor je onderdak. Dat is meer dan genoeg.' Hij zegt het alsof hij zelf overtuigd is van zijn eigen irreële gedachtegang. Zou hij nu veertien uur werk per dag echt gelijkstellen aan recht op 'onderdak' in een ruïnebouw? Welke plaats heb ik nog naast hem? Ben ik 'zelfstandige'? Zijn voordelen. Het begint er verdacht veel op te lijken dat dit een verlengstuk is van Angela.

De sfeer in het appartement is omgeslagen. Behalve de ruzies om de zaak kom ik steeds minder vaak echt thuis. De geopende facturen liggen argeloos op het keukenaanrecht gesmeten. Hij gooit het net zo goed op ons bed. Bij de lavabo. Op het wasrek. Hij laat het 'waaien' alsof het goedkope reclamefoldertjes zijn die eigenlijk in de vuilnisemmer thuishoren. En ik moet de boel steeds bij elkaar rapen. Niet alleen om het appartement ordelijk te houden, maar ook om de papierhandel te runnen. Want hij 'vergeet' vaak betalingen.

Ik erger me kapot. Dag in dag uit. Na het werk in het restaurant, raap ik al zijn rotzooi weer bij elkaar en sorteer het met etiketjes op. Maar daar heeft 'de steeds gehaaste Roel' geen boodschap aan. Hartkloppingen. Maar ik zwijg. Ik wil geen ruzie veroorzaken.

Weer zo'n ergernisavond. We eten aan de keukentafel. De papieren heeft hij nu op de grond gelegd naast zijn stoel. Ik zucht.

'Maak je niet druk,' zegt hij. 'Mijn zaak gaat nu even voor totdat we erdoor zijn. Jij en ik. Het lukt ons wel!' Hij bladert verder in de krant.

'Mijn zaak, Roel. Waarom "mijn" als ik mijn schouders hier even hard onder zet?'

'Tja, Berlinda, op papier is het wel degelijk "mijn" zaak.'

Ik voel me verbrijzeld door de positie die hij zichzelf aanmeet en de rol die hij me toebedeelt.

'Ik heb ontspanning nodig. Geen gezeik over het huishouden!' zegt hij nog. Hij schuift zijn stoel opzij, laat zijn bord staan en gaat naar de badkamer om zich om te kleden. Hij gaat op stap met 'coole Benny'. Zo zegt hij het. Roel heeft steeds de gewoonte om mij de tafel te laten dekken en ze vervolgens ook weer te laten opruimen. Deze keer vertik ik het. Ik begin steeds meer te 'vertikken'!

Het ochtendlicht schijnt al door het gordijnloze slaapkamerraam, wanneer ik even wakker word. Vijf over vijf in de ochtend. Roel en Benny zijn nog steeds naar de Antwerpse foor. Geen berichtje. Zijn telefoon staat af, zoals gewoonlijk. Mijn vertrouwen wordt met kleine gemene hapjes weggeknaagd. Waarom belt hij me nooit? Geen berichtje? Niks! Mij steeds laten wachten. Waarop? Ik voel priemende krampen in mijn middenrif. Ik woel en denk terug aan het gesprek dat ik had met Melissa vanmiddag. Ze herinnerde me eraan dat ik het bleef toestaan om 'in de kou' te werken. Het statuut. 'Mijn onverdiende loon'. 'Het vergeten contract'…

De deurklik. Ik betrap mezelf erop dat ik opgelucht ben dat ik Roel hoor thuiskomen. Halfzeven in de ochtend. Hij had me beloofd om vanmiddag te helpen bij het poetsen van het restaurant. Maar meneer zal waarschijnlijk moeten slapen.

'Ah lieverd ben je nog wakker?' vraagt Roel verbaasd terwijl hij zijn hoofd in de slaapkamerdeuropening steekt.

'Roel, morgen contacteer ik het boekhoudkantoor om na te gaan welk ander statuut ik hier in de zaak kan hebben. Ik wíl enig bewijs.' Ik denk steeds meer na over de toekomst. Als het echt niet meer gaat met Roel, wat dan? Geen uitkeringen, geen spaargeld. Een huurwaarborg? Meubels? Geen werk!

'Berlinda, niet nu. Ik heb een fijne avond gehad met Benny. Ik wil het nu niet over het restaurant hebben.' Zwaar geïrriteerd smijt hij zijn sokken en schoenen op de slaapkamergrond neer. Pas nu ruik ik hoe een zure bierlucht zich in de kamer verspreidt. Mijn maag protesteert heftig.

'Geef me morgenmiddag dan één uurtje de tijd om mijn plaats hier te bespreken.'

'Ja, hummeltje'

Hummeltje? Is het dat wat ik wil horen? Waarom weigert Roel de volwassen vrouw in mij te zien?

Zijn aanraking lijkt mijn huid niet te hebben beroerd. Hij

komt dichterbij liggen, houdt me stevig vast, kust mijn haar, kneedt mijn gespannen schouders, kust mijn nek. Ik onderga alles. Tot meer ben ik niet in staat. Tot minder nog veel minder. En even ben ik weer dronken. Dronken in mijn verliefdheid op de liefde.

Roel komt zijn belofte na. Met grote moeite weliswaar. We zitten in een goedkope shoarmatent en hebben net ons eten besteld. 'Roel. Ik weet dat je het momenteel niet breed hebt, maar ik zou toch eens willen praten over mijn positie in geval van nood.'

'Hoe bedoel je ?' vraagt Roel terwijl hij zijn gezicht op de krantenkoppen gericht houdt.

De inhoud van zijn broodje valt op de plastic plateau.

'Roel, kun je de krant heel even opzij leggen?'

'Ik luister, Berlinda,' antwoordt hij zonder opkijken.

'Roel, kun je die krant even opzij leggen. Ik heb hier echt je volle aandacht voor nodig!'

Met een zucht en met een luide smak gooit hij de krant naar de andere kant van de tafel. 'Ja, wat is er?' Zijn blik vertelt me dat het snel moet gaan.

'Roel, ik zou met jou een notariële regeling willen opmaken waarin duidelijk omschreven staat wat mijn rechten en plichten zijn in het restaurant.'

'Waarom, Berlinda? Het loopt toch goed zo. Je weet dat ik niet meer kan geven op dit moment.'

'Dat weet ik. Op dit moment hoef je ook niets te geven, maar ik wil wel een bewijs dat ik al die tijd zoveel voor je werk zodat als er ons iets overkomt, ik weet dat ik mogelijkheden heb om de eerste maanden te overbruggen.'

'Er overkomt mij niets. En ik kan nu niets vastleggen aangezien ik zelf geen loon uit de vennootschap trek. Niets… Laten we gewoon afspreken dat als je wat nodig hebt je even komt melden dat je iets uit mijn kassa haalt.'

Daar was het weer! 'Onze kassa,' verbeter ik hem.

'Doe niet zo kinderachtig, Berlinda. Je weet best dat ik "onze kassa" bedoel.'

Een voorbijlopende, nogal opzichtige en hooggehakte blondine trekt zijn aandacht. Hij draait zijn hoofd zelfs nog een keer naar haar om, en zegt: 'Jongens toch, wat een moordgriet!'

Hoe lang is het geleden dat hij me nog grondig heeft aangestaard?

Mijn denkvermogen staakt. Ik probeer ondanks alles het gesprek te hervatten.

'Roel, ik vraag geen woorden. Ik vraag appreciatie in je houding en een officieel document waarin vermeld staat wat mijn plichten en rechten zijn.'

'Besef toch eens dat ik het geld niet voor handen heb!' Hij schreeuwt het uit waarbij hij zijn broodje integraal op de bruinen plastic plateau gooit.'

'Roel ik praat over een verzekering van twee maanden minimumloon, in ruil voor alle overlevingskansen die ik jou gun.'

'Nee, Berlinda. Nee, nee en nog eens nee! Jij gaat me niet pluimen zoals mijn ex dat met me deed, al die verdomde jaren.' Hij snuift luidruchtig, schuift zijn stoel naar achteren, rekent af en loopt met vastberaden tred de zaak uit.

Ik besef dat ik geen rode cent op zak heb. De straatstenen onder mijn schoenen lijken mul. Ik loop uit verstrooidheid tegen mensen aan en vang norse blikken op. De zeurende regen besmeurt mijn pas gebrushte haar. Mijn tranen maken zwarte mascarastrepen op mijn wangen. Ik ga op een bankje zitten op de markt en besluit om Roel te bellen. Hij kan me hier toch niet zomaar laten staan! Alweer zijn antwoordapparaat. Ik besluit hem het restaurant die avond alleen te laten runnen.

Geen gesmeek. Ik blijf op bed liggen. Minuten verstrijken. Het lijken uren. Het laken voelt koud aan. Ik neem de rommelige, karige slaapkamer in me op. Ik zie mezelf in de toekomst.

Zie ik hier een kind in leven? Zie ik mezelf oud worden in deze omstandigheden? Mijn gedachten beangstigen me, overspoelen mijn hoofd. Ik neem een tijdschrift om de tijd te doden. Maar de pagina's met 'woonideeën' en knusse gezinssituaties stemmen me nog triester. Er moet iets veranderen.

Najaar 2006

Met een schel weerklinkend lawaai klettert mijn mobieltje op de straatstenen. Roel heeft het ding door het badkamerraam gekieperd. 'Het zal je leren mij zo op de kast te jagen met dat irritante gesmeek van je om een contract. Je weet verdomd goed dat ik me zelfs geen notaris kan permitteren!'

'Geef me dan op zijn minst de opbrengst van mijn wagen terug.' Ik probeer de kalmte te bewaren.

'Ook dat is onmogelijk, Berlinda!' Ik haat zijn belerende manier van praten.

'Dat zou toch rechtvaardig zijn!' Mijn kalmte van zonet is nu helemaal verdwenen.

'Rechtvaardig? Op termijn zal je veel meer dan de opbrengst van je autootje krijgen als je er maar in blijft geloven!' snuift hij. 'Trouwens, zoveel stelde dat wagentje nu ook niet meer voor.'

'Genoeg om jouw hachje te redden!' tier ik.

Hij komt gevaarlijk dichtbij staan. Ik kan niet meer terugdeinzen want ik sta al bijna tegen de ruw geplamuurde muur. Hij grijpt mijn polsen stevig beet. Ik voel de aderen in mijn handen kloppen.

'Laat me los, Roel!'

'Het zal je leren kalmeren!'

'Laat me los!' herhaal ik, nu iets zachter. Met een ruk laat hij me los. Mijn achterhoofd komt met een lichte smak tegen de muur terecht. Alles tolt. Ik voel alleen nog het gebonk achterin mijn schedel. En dan is er niets meer.

Ik heb niet geslapen. Hij heeft me strelend met veel 'sorry's' weer bij bewustzijn gebracht.

'Dat moet genoeg zijn,' zegt hij. Ik moet nu maar begrijpen en vergeten. Zijn sorry telt.

'Gewoon doen alsof er niets is gebeurd.'

Dat kan hij verduiveld goed.

Mijn polsen hebben een paarse gloed gekregen. Ze voelen aan als blauwe plekken.

'Zie je nu wat je veroorzaakt hebt,' sis ik in de badkamer.

'Je hebt het zelf veroorzaakt, Berlinda. Ik ben zo niet. Jij maakt me zo.'

Ik weet niet wat ik hoor.

'Hoe wil je nu in godsnaam dat ik in het restaurant verschijn? De klanten…'

'Doe gewoon een bloes met lange mouwen aan.'

Hij zegt het alsof hiermee meteen alles is opgelost.

De ontkenning van mijn maagpijn, die al maanden zat te wringen, heeft een hoger prijskaartje gekregen. De gastroscopie heeft uitgewezen dat ik inmiddels weer twee zweren heb opgelopen. De huisarts schrijft me naast zware medicatie ook absolute rust voor, minstens één volledige week. Niet te veel.

De huisarts zet zijn bril af en neemt me grondig op. 'Leef je onder grote druk, Berlinda?'

Ik barst. Mijn hart lijkt te schokken. Ik kan niet meer. Ik wil zo niet meer! De dokter schrijft me een kalmeermiddel voor, zodat ik op z'n minst voor even kan slapen. Ik twijfel bij de apotheekdeur, want ik wil er niet aan verslaafd raken. Maar toch, de gedachte aan slaap is verleidelijk, te verleidelijk. Ik open de deur en lever mijn voorschrift in.

'Gaat het wat met je, lieverd?' Zijn ogen blijven bestuderend op het agenda gericht terwijl ik de restaurantdeur open.

'Nee.'

Roel lijkt me niet te hebben gehoord. Huilend loop ik de wenteltrap op naar boven. Hij komt pas enkele uren later boven. Het restaurant gaat pas om zes uur weer open. Ik hoop dat Roel even bij me blijft. Een uurtje. Totdat ik slaap?

Dat doet hij. Oef!

Hij streelt me onophoudelijk over het haar.

'Zal ik wat friet voor je gaan halen?'

'Roel, ik heb maagzweren.'

'Maar je moet toch eten.'

'Een toast, Roel. Of soep zou goed zijn.'

'Ik zal boodschappen doen en breng het dan allemaal voor je mee.'

'Dank je, Roel.' Ik voel intense oprechtheid en besef dat dit gebaar niet vanzelfsprekend is. Voor mij althans niet.

Minuten tikken. Ik zak weg en kom weer bij. De laatste keer vier uur nadat Roel is vertrokken om boodschappen te doen bij de supermarkt, een paar straten verderop... Ik pak mijn mobieltje (ik heb intussen zijn oude mobieltje gekregen). 'Ik ben er zo! Ik ben een klant tegengekomen. We zijn aan de praat geraakt, sorry.'

Alweer die sorry. Alweer vergeet hij me. De pijnbestrijders doen me gelukkig weer wegzakken. De achterdeurklik brengt me weer bij het afschuwelijke bewustzijn. De stappen op de trap. Roel.

'Hé, ik heb een blik ravioli voor je meegebracht,' zegt hij terwijl hij het minuscule supermarktzakje boven haalt. 'Dat is zacht en toch wel voedzaam.'

Ik knik gelaten. Ik troost mezelf met de gedachte dat hij aan me heeft gedacht. Maar dat is niet meer genoeg. Terwijl hij de trap af stormt, richting restaurant, roept hij nog: 'Je kunt het opwarmen. Je hoeft niet op mij te wachten om te eten.'

Ik neem mijn eerste kalmeertabletje. Ik wil niet meer denken. Zo krijg ik de dagen van eenzaamheid aan elkaar geregen. Het helpt me om me niet te druk meer te maken. Elk gevoel lijkt te zijn afgezwakt. Het is maar best zo. Na twee dagen rust begin ik me schromelijk te ergeren aan Roels kunst om het huis in één beweging in een stal te veranderen. Ik weet niet wat ik zie. Stapels lege pizzadozen tussen de deurwaardersbevelen op het keukenblok. Het reclamebord, dat hij wil herschilderen, ligt naast de verfpotten op de woonkamervloer. Lege flesjes bier bij de televisie. Handdoeken en kleenex bij de pc. Ik stel me geen vragen. Dank u, tabletje!

Bukken doet verschrikkelijk veel pijn. Mijn maag maakt knijp-bewegingen, afgewisseld met vlijmscherpe messteekpijn. Maar ik moet de boel hier aan de kant hebben. Zo kan ik niet leven. Ik hoor Roel de trap op komen. 'Hé, we hebben morgen een reser-vering van negen mensen!' jubelt hij.

'Dat is mooi.' Ik merk op dat ik nogal toonloos klink.

Eigenlijk kan het me ook niet zoveel meer schelen.

'Ik reken er wel op dat je dan kunt bijspringen.'

'Roel, ik kan echt niet.'

'Wat sta je dan hier te doen? Als je werkelijk zo ziek zou zijn, sta je hier niet te bukken en op te ruimen. Het restaurant gaat voor.'

'Ik doe het omdat ik over enkele dagen de bomen door het bos niet meer kan zien.'

'Je kunt wel lichtelijk overdrijven. Dit is slechts bijzaak. Negen reserveringen! Weet je wat dat opbrengt?'

'Ja, maar ik stel voor dat je de afspraak verplaatst tot ik beter ben.'

'Als de cijfers deze maand de laagte in zijn gegaan, dan neem jij dat maar op je geweten!' Wéér die wijsvinger. Ik reageer er niet meer op. Misplaatste macht. Met die laatste woorden rent hij stampvoetend de trap af. Ik hoor de achterdeur dichtslaan. Het geritsel vertelt me dat hij er met zijn fiets vandoor is, elf uur in de avond, God weet waar naartoe.

Ik ga door met opruimen.

Daar, op de keukentafel. Roel is zijn mobieltje vergeten. Het gevoel dat ding in handen te nemen bekruipt me. Ik twijfel. Toch doe ik het. Ik klap het ding open en ga naar zijn berichtenbox. Minstens tien berichten. Met de naam Debby.

Debby! Debby! Debby!

Haar misselijkmakende naam dreunt onophoudelijk door mijn hoofd. Debby? Die klant van het restaurant? Die vrouw van vijfenveertig? Zij? Zo opgemaakt. Steeds hip gekleed. Met haar blonde haar in twee staarten? Zij?

Ik klik door en lees wat ik niet lezen wil: 'Dag, wilde tijger van me. Fijn dat je vanmiddag bij me was. Ben je nog met de ravioli thuis geraakt. Haha! Hete knuffel Debby xxx.'

Ik wil niets meer lezen. Hoe lang gaat hij al met haar? Ik staar voor me uit. Verdoofd. Leeg. Hartslagen dreunen door mijn hoofd. Mijn Roel? Mijn alles? Voor wie ik alles doe.

Dit kan niet waar zijn! Dit moet een vergissing zijn! Die vrouw zal zich vergist hebben van nummer. Ik neem het mobieltje nog een keer in mijn handen. Weken? Misschien maanden? Debby heeft zich duidelijk niet vergist! Al die urenlange 'verdwijningen,' met honderd smoesjes. Mijn twijfel die hij van de baan wuifde met 'extreme jaloezie'. Het gebrek aan vrijpartijen. En als ze er zijn, doet hij het slechts mechanisch. Alles valt in mekaar. Ook ik. Ik voel me verdoofd. Dit is niet mijn leven!

Ik hoor de achterdeur klikken. Haastige voetstappen op de metalen trap. Roel.

'Ik ben mijn mobieltje vergeten!' zucht hij terwijl hij met een driftig zoekende blik door de woonkamer beent.

'Je bent het vergeten,' zeg ik het verdomde ding in mijn handen houdend.

Hij kijkt geschokt op. Zijn vergetelheid lijkt zijn gelaat in tweeën te scheuren.

'Wie is Debby?'

'Ik wilde niet…' hoor ik hem stamelen.

'Wat wil je niet? Dat ik over haar te weten kwam?'

'Ja. Eh. Ik wachtte op een goed moment om het je te vertellen.'

'Hier is geen goed moment voor!' zeg ik snikkend. 'Waarom vertelde je me niet eerder dat je verliefd was geworden? Dan had ik het nog kunnen begrijpen!'

'Ik weet het, Berlinda van me.' Zijn stem lijkt schuldbewust te klinken.

'Wat ben ik daarmee?'

'Niks meisje. Het gaat niet om jou. Het ligt aan mij. Ik ben niet snel tevreden in het leven. Ik trek jou mee in die druk. Ze betekent niks voor me. Seks, instinctieve seks.'

'Die was dus niet goed tussen ons dan?'

'Eh, het ligt niet aan onze seks. Niet aan jou althans. Het ligt aan mij. De spanning. Debby werd mijn vlucht.'

'Ben je verliefd op haar?' Ik wil mezelf die vraag niet horen stellen. En toch wil ik een antwoord. Ik lijk aan flarden te worden gescheurd.

'Ik weet het niet, Berlinda. Ik ga nu naar haar toe en ik vertel haar dat ik met jou verder wil.'

'Ik weet niet of ik op deze manier nog onvoorwaardelijk voor jou wil kiezen, Roel. Je hebt me staalhard bedrogen.' Mijn stem wordt onstandvastig.

'Ik weet het, Berlinda. Niets kan dit alles goedpraten! Maar het zal mijn uitdaging worden om ons te redden. Dat het moeilijk gaat in een relatie ligt aan twee mensen. Begrijp je?'

Ik begreep er niets meer van. Lijmen? Moeilijke relatie? Was zijn vreemdgaan dan een mooi excuus? Zoals zoveel 'verontschuldigingen'?

Ik houd me vast aan het keukenblok. Wat moet ik? Ik krijs het uit. Jankend. Ik voel zijn armen om me heen. Ik duw hem van me af.

'Ik laat je maar even totdat je wat rustig bent geworden,' zegt hij.

'Ga weg!'

Met zijn opmerking heeft hij me alleen maar meer op de kast gejaagd! Ik hoor de achterdeur weer in het slot vallen. Ik hoor zijn fiets over de kiezelstenen razen. Dit keer heeft hij zijn mobieltje mee. Naar Debby. Gaat hij werkelijk kiezen voor mij? En wat dan nog? Krijg ik dit ooit verwerkt? Ik wil niet meer. Ik kan niet meer. Het is lang geleden dat ik een tabletje nam. Ik blijf staren naar de kale slaapkamermuren. Onophoudelijk huilend uit wanhoop. Het tabletje lijkt niet te werken. Naast dit alles is de Debby-episode me veel te veel!

Hoe moet ik weg? Zonder loon? Zonder sociale zekerheden? Zonder contract? Enkel met kleding en boeken de wereld in? Melissa? Zou zij me zonder meer opvangen? Ik wil er nu nog niet over piekeren. Dit kan niet met mij gebeurd zijn. Dit is niet mijn leven! Dat houd ik me nog even voor.

Eén uur 's nachts. Hij is betrekkelijk vroeg! Ik verdruk de sarcastische gedachte.

'Ik heb met Debby gesproken,' begint hij. Ik zwijg maar kook vanbinnen. Hij herinnert me er wel aan dat zij een bestaande nachtmerrie is. 'Ze schrok natuurlijk wel.' Ik verwens de zachtaardigheid waarmee hij praat over Debby.

'Tja, wie zou tenslotte niet?' Ik zeg het toonloos, zoals ik me voel.

'Ze had het moeilijk.'

'Zij! Zij! Zij! Hoe denk je dat het voor mij is? Ik heb alles voor je gedaan! Meer dan alles.' Mijn stem slaat om in huilen.

'Ik weet het, Berlinda. Ik weet zelf niet wat ik wil. Ik denk dat ik ook om Debby geef.'

Ik weet niet wat me bezielt. Ik gooi de bedkussens in het rond. Loop razend heen en weer.

'Waarom Debby? Zoveel ouder dan ik.'

'Goh, ze heeft zich een beetje ontfermd over me. Ik heb het op alle vlakken moeilijk. Misschien omdat ze ervaren is en er toch nog jong uitziet?' Hij lijkt hardop redenen te bedenken.

'Jong wil ze zijn.' Ik denk aan haar idiote blonde staarten. Roel reageert niet. Hij houdt zijn handen tegen zijn slapen aan terwijl hij de slaapkamervloer lijkt te bestuderen. 'Op een oude fiets leer je beter rijden,' gooi ik er scherp achteraan.

'Nu is het godverdomme genoeg, Berlinda! Je hoort haar niet af te breken! Zij heeft het, net als jij, moeilijk. Ze gedraagt zich alleszins volwassen.'

'Roel, besef je niet half hoe je me kwetst?'

'Iedereen heeft het moeilijk in deze situatie.'

'Wat moet ik in godsnaam? Jij kiest voor een leven met een ander. Ik heb me meer dan volledig gegeven aan jouw leven.' Ik ben de wanhoop zelden zo nabij geweest. Ik voel hoe de grond dreigt weg te zakken onder mijn blote voeten.

'Jij komt er wel. Ik heb schulden. Jij niet.'

'Roel, dat is niet eerlijk! Kun je mij op z'n minst een beetje van mijn verdiensten storten in de overbruggingstijd?'

'Niks in het leven is eerlijk. Ik heb je alles gegeven wat ik kon. Meer dan onderdak kon ik je niet even. Dat had je destijds wel nodig.'

Kan hij nu werkelijk zo koelbloedig handelen? Alleen zijn eigen leven? 'Mocht' ik daarom bij hem komen wonen? Nu hij een heel eind verder vooruit is in zijn schuldenaflossingen? 'Je bent een verdomde egoïst!' sis ik met schorre stem.

De blik die in zijn ogen verschijnt, doet me rillen. Zijn ogen staan glazig. Enger dan ooit voorheen. Opnieuw is er die vuist die hij gebald naar beneden houdt. Hij maakt kauwbewegingen met opeengeklemde kaken. Zijn ogen worden groter, zijn blik is furieuzer dan ik ooit eerder heb gezien. Ik durf hem haast niet meer aan te kijken. Ik wil wegduiken! In een ander leven dat nog niet bestaat. Ik wil dat dit alles nooit waar is geweest. Ik wil mijn lieve onbesmeurde Roel van toen terug.

Of heeft die nooit bestaan? Hij komt traag dichterbij. Ik ben verlamd. Ik hoor niets meer. Hij wordt een waas. Ongezien snel pakt hij me bij één arm en één been en trekt me met een smak van het bed af. Mijn linkerslaap komt met een klap op de vloer neer. Even lijkt het alsof ik mijn lichaam verlaat. De harde slag op mijn hoofd voelt eerder dof dan scherp aan. Ik sluit mijn ogen, alsof ik zo de realiteit van me kan afschermen.

Toch open ik ze meteen weer als hij me over de onafgewerkte badkamerdrempel heen trekt. Ik voel de splinters, genadeloos in mijn zij. Ik voel brandende pijn onder mijn polsen. Mijn hart dreunt tegen mijn slapen. Er is enkel nog pijn. Scherpe pijn. Overal. Ik voel mijn haarspeld priemen in mijn achterhoofd.

'Stop ermee, Roel!' Mijn stem klinkt schor van het huilen en roepen.

'Je drijft me te ver met je verbale agressiviteit!' In tegenstelling tot anders, verheft hij zijn stem niet. Hij schijnt mijn smeekbede niet te willen horen.

'Laat dat, Roel!' Dit keer krijs ik harder dan ooit tevoren. Ook de tweede onafgewerkte drempel, die van de badkamer naar de woonkamer, is eveneens onder mijn halfnaakte lichaam door gegaan. Ik voel alleen nog branderige, doffe pijn.

Zijn krachtige handen, die ik eens zo had verafgood, houden mijn been en pols in een ijzeren klem. Het moment dat ik over de vloer raas lijkt urenlang te duren, al zijn er misschien slechts twee minuten voorbijgegaan. Enkele seconden later word ik wakker uit mijn vlucht voor dit bestaan. Ik zie de steile metalen draaitrap mijn richting uit komen. Ik kan Roels gezicht niet meer zien.

'Roel, stop!'

Aan de rand van de trap zet ik mijn loshangende hand klem achter de spijlen, zodat ik mezelf kan behoeden voor een val. Tussen de metalen traptreden door zie ik de benedenhal. Waarom trekt hij me deze richting uit? Doodsangst flitst door mijn getormenteerde hoofd. De pijn in mijn polsen ben ik vergeten, om te overleven. Ergens uit de gangen van mijn 'vergeten ik' krijs ik voor de laatste keer. 'Laat me los!'

En dan, prompt laat hij me met beide handen los. Ik kom met een luide smak op de overloopvloer terecht. Hij geeft me nog een fikse duw met zijn rechtervoet, alsof ik slechts een deurmat ben die niet recht ligt. Daar lig ik. Op enkele centimeters vóór de eerste traptrede. Op de koude betonnen vloer.

Mijn ogen gaan weer open. Gaan ze eindelijk open?

Ik sluit ze weer, zodat ik niet met de diepte wordt geconfronteerd. Ik hoor hem driftig wegbenen. Naar de slaapkamer. In de verte hoorde ik hem grienen. Ik blijf liggen. Verlamd en verdoofd op de kille plaats waar hij me naartoe heeft gesleurd. Ik lijk het stappen te zijn verleerd. Mijn spieren zijn verlamd. Mijn lichaam lijkt één grote blauwe plek te zijn geworden. Onuitwisbaar. Van binnen en van buiten.

Ik houd mijn handen nog steeds aan de spijlen geklemd. Alsof ik me moet blijven vasthouden om niet te vallen. Minuten later loop ik, de vlijmscherpe pijn negerend, de trap af. Ik loop, als vanzelfsprekend, naar de enige kamer in dit verdomde kot waar ik de deur op slot kan doen: het toilet in het restaurant.

Ik neem mijn pillen en mijn mobiele telefoon mee. De ruimte is niet groter dan een meter vijfenveertig op één meter. Niet lang genoeg voor mijn meter eenenzestig. De zwarte duisternis gilt. Adrenaline giert door me heen. Ik ben net ontsnapt aan de dood. Of was dat net niet zijn bedoeling geweest? Of was hij net op tijd tot inkeer gekomen? Zou hij echt zover gegaan zijn?

Had hij dit alleen gedaan om me angst aan te jagen, om macht uit te oefenen?

Had ik dit uitgelokt? Dat vertelt hij me immers zo vaak. Ik durf mijn polsen niet te betasten. Ik voel enkel het treuzelende sijpelen van bloed. Langs mijn schedel, schenen, en mijn ellebogen waarmee ik me probeerde 'recht' te houden. Ik ben blij dat ik niets kan zien in de duisternis. Ik zou alleen maar onophoudelijk janken en ik wil niet dat Roel me hoort of ziet. De wonden zouden wel genezen. De blauwe plekken op mijn ziel daarentegen? Het is de tweede keer dat hij ook fysiek agressief was. Ik kan dit niet nog een keer verdragen. Niet nog een keer toelaten.

Debby! Haar twee blonde staarten razen door mijn hoofd. Ik wil niet nadenken over hun leven. Over zijn liefkozingen voor haar. Ik verjaag de beelden aan haar en hem. Wippend op een bed. Ergens. Wist ik veel waar. Ze mag hem hebben. Alles in mij wordt tegenstrijdig. Ik slinger van verdriet naar haat. Van herinnering naar angst voor een volgende dag. Zou ik buigen voor zijn spijtbetuigingen? Als die al zouden volgen?

Ik kan mijn tranen niet langer bedwingen. Ik voel me vol, vol stenen, leeg gehuild en op. Ik zoek naar kracht. Naar geloof dat er 'een andere morgen' bestaat. Hoe dan ook een morgen. Ik sluit mijn ogen opnieuw. Alles tolt, alsof ik veel te veel heb gedronken.

Hoe kom ik in vredesnaam nog uit deze teisterende klauwen? Roel, eens mijn grootste houvast. Dat zag hij maar al te goed. Zo had hij macht. Ik zou enkel met hem kunnen overleven als ik mijn mond zou houden. Onophoudelijk zwijgen en slikken. Mijn leven lang. Ik zou kalmeerpillen slikken om niet meer te voelen. Niets meer, nooit meer. Ik open mijn ogen, voel het doosje in mijn kloppende handpalmen. Ik voel me onbeschrijflijk moedeloos. Elke stap die ik nog in het leven moet zetten lijkt onoverkomelijk groot. Elke weg gigantisch lang... Heeft het allemaal nog zin? Dan hoef ik geen onmogelijke sollicitatietochten meer uit te voeren?

Dat zou me immers nooit lukken. Geen financiële zorgen meer. Geen schuldgevoelens. Geen geweld. Geen ellenlange zoektocht naar zelfwaarde. Geen wanhoop. Voor altijd weer veilig bij papa?

Papa! Het lijkt wel alsof ik zijn stem kan horen. 'Alles komt goed, meisje.' Ik zie hem weer. Lachend. Met een sigaret in zijn hand. De zakdoek die hij me aanreikt om me te troosten. Ranjan. Ik mis hem. Ik durf nu zeker niet meer, in deze beschamende situatie, zijn leven in te walsen. Melissa. Ik hou van haar.

Maar ik kan niet meer! Met moeite druk ik de pillen uit het stripje. Vijfentwintig heb ik er over. Genoeg toch? Ze liggen in mijn bonkende handpalmen. Niets meer horen. Niets meer voelen. Ik zou reïncarneren. Ik zou alles ooit anders aanpakken. Ik zou beter worden. Minder naïef. Veel sterker! De muren van het toilet lijken op me af te stormen. De stilte omklemt me.

Ik weet niet hoe lang ik hier al lig te twijfelen. Minuten? Uren? Luid gebonk op mijn veilige toiletdeur! 'Berlinda, Je weet dat ik ontzettend veel van je hou, maar je drijft me gewoon te ver. Je hebt me uitgedaagd met je woorden en dan moet je niet schrikken van de gevolgen. Elke man raakt hiervan buiten zijn zinnen. Hoop maar niet op een beter leven als je zo agressief blijft. Ik ben verbaal niet zo sterk, dus er restte mij niets meer dan deze reactie. Ik was niet van plan je van de trap af te kieperen, ik wilde je gewoon in je ondergoed op de oprit leggen. Zo zou je wel afkoelen! Zeker weten!'

Had hij me maar in een keer van de trap gegooid, dan hoefde ik zelfs dit niet meer te aanhoren. Ik steek mijn vingers in mijn oren, maar zijn luide stem overstemt alles.

'Ik confronteer je te hard met je tekortkomingen, Berlinda. Het heeft geen zin je op te sluiten en te vluchten voor wie je bent.'

'Ga weg! Laat me met rust!' zeg ik met verzwakte stem.

'Zie je wel. Dit zeg je omdat je geen zelfconfrontatie aandurft.'

Uitdagen? Heeft hij gelijk in al zijn beschuldigingen? Projectie! Je reinste bescherming. Het lijkt wel alsof mijn bonzende hoofd weer in waaktoestand komt. 'Denk niet in mijn plaats. Ga weg!' zeg ik.

'Ik ga inderdaad weg.' Weer die uitdagende toon.

Het is elf uur in de avond. De achterdeur slaat hard dicht. Ik wil hier slapen vannacht. In deze ruimte ben ik veilig. Het slot zou me beschermen, althans dat gevoel geeft het me. De tegelvloer is hard en koud. Ik verleg me talloze keren. Mijn botten doen pijn. Ik merk dat ik vel over been ben geworden.

De pillen liggen nog steeds in mijn hand. Melissa? Zou ik? Nee. Eerst wil ik slapen. Ik wil niet denken. Niet aan Roel. Nog minder aan wat hij nu waarschijnlijk bij Debby ligt uit te voeren. Als ik geslapen heb, neem ik mijn beslissing. Maar het lukt me niet. Ik neem twee tabletjes, dan lukt het me vast wel. Langzaam hoor ik in de verte de tijd wegtikken. Ik zak weg.

Om een uur of acht schrik ik weer wakker. De achterdeur klapt dicht. Het geritsel van sleutels. Roel. Ik hoor zijn voetstappen weerklinken op de vervloekte trap. Voetstappen van opgewondenheid? Of van gelatenheid? Ik het niet onderscheiden. Het interesseert me eigenlijk écht niet meer. Het wordt stil boven. Roel zou vast nog inslapen in het warme waterbed. Ik huil opnieuw.

Dit keer zonder tranen. Vanaf nu zou ik niet meer 'de plakband' zijn die zijn leven aan elkaar houdt! Hij heeft zelf keuzes gemaakt en ik hoef hier niet de gevolgen van te dragen. Melissa.

Ik dank haar om op me in te praten. Ze heeft al die tijd gelijk gehad!

Pas om twee uur kom ik het toilet uit. Het restaurant gaat normaal om zes uur open. Zonder mij. Nooit meer met mij! Paniek rent door mijn borstkas. Straks zou deze ruimte zich weer vullen met gelach van enthousiaste mensen, maar ook met de schijnheilige lach van Roel. En Debby misschien in de toekomst?

Ik neem de paraplu die in de gang staat mee naar boven. Roel zou me niet één keer nog aanraken met zijn besmeurde handen!

Ik loop via de badkamer de slaapkamer in. 'Berlinda! Sorry van gisteren. Ik had dit niet mogen doen.' De handdoek glijdt onder zijn oksels door.

'Ga weg, Roel. Geen enkele sorry kan mijn beeld van jou nog bij elkaar vegen. Ga weg, laat me met rust.'

'Ik heb met Debby gebroken. Voor jou! Ik besef plots na gisteren zoveel! Ik was over mijn toeren! Twee relaties. Een vrouw van wie ik echt hou. Jij, Berlinda. De stress van het restaurant. Je verdient mijn gedrag niet. Ik heb geleerd na vannacht. Ik zal veranderen.' De dominante toon waarmee hij veel te lang heeft gepraat, heeft zich verruild voor een soort jammeren.

Oprecht?

Ik antwoord niet. Het lijkt wel alsof de inhoud van zijn woorden me compleet ontgaan. In alle nuchterheid van mijn bestaan. Nuchterder dan ik ooit tevoren ben geweest.

'Ik hoef je niet meer, Roel. Er kan een beter leven bestaan. Zonder jou.'

'Hoer! Ga het dan ergens anders zoeken!'

Enkele minuten later staat hij weer bij me.

'Berlinda, ik wil met je praten.'

'Deze "hoer" heeft geen zin meer in praatjes.'

'Het was maar een woord. Ik was gewoon bang dat jij je aandacht op een dag bij een ander zou gaan zoeken, omdat ik je naar jouw gevoel niet genoeg kan geven. Ik bedoelde niet wat ik zei,' jammert hij.

'Dan zijn er nog andere manieren om dit te uiten. En ja, ik geloof er sterk in dat ik meer verdien, op alle vlakken. Emotioneel, professioneel en seksueel.'

'Heb je dan al een ander?' vraagt hij met benepen stem.

'Nee, Roel. Ik wil een ander leven.'

'Berlinda! Ga niet weg bij me. Je belandt in de goot! Je hebt geen job, geen dak. Niks!'

Zijn laatste zin maakte alles wankel in mijn hoofd. Mijn stem neemt het van me over. 'Ik heb inderdaad niks overgehouden aan dit leven hier. Maar ik heb Melissa.'

Hij kijkt me met sceptische ogen aan.

'Ik heb haar net gebeld. Ik neem over een klein halfuurtje de trein. Ik kom er wel. Ik heb jou niet nodig.'

'Maar ik heb jou wel nodig, Berlinda! Ga niet zomaar weg! We kunnen toch praten als twee volwassen mensen!'

Huilerigheid? Emotionele chantage? ·

'De tijd van praten is voorbij, Roel.'

'Ga niet weg! Ik gooi mezelf onder de trein als jij me verlaat!'

'Voor de zoveelste keer? Dit zeg je al maanden. En kijk wie hier nog springlevend staat te jammeren!'

Het zou me ook niet echt veel kunnen schelen. Ik ruk mijn ogen los van de zijne, loop vervolgens naar onze erbarmelijke badkamer en neem daar zonder nadenken mijn kleine zwarte koffer van de kleerkast af. Ik neem de meest relevante kledingstukken met me mee.

Zeker genoeg geklede broeken, uit het Angelatijdperk, en bloesjes om te gaan solliciteren. Het lijkt wel alsof mijn handen gedicteerd worden door mijn verborgen krachtige ik. Ik denk niet. Ik voer gewoon uit. Mechanisch. Mijn medelijden voor hem zou ik hier en nu onder zijn dak achter me laten.

'Berlinda! Doe me dit niet aan! Zeg dat je dit niet meent. Je voert een pathetisch toneelstukje op. Blijf hier!' Hij trekt als een jengelend klein kind aan mijn arm. Ik voel de pijn in mijn arm en ruk me los. Niet nog één vinger!

Er is maar één trein om het uur. Ik zou de eerstvolgende nemen. Nog welgeteld vijftien minuten. Gelukkig zitten we hier op loopafstand van het station. Zou het mij werkelijk lukken te vertrekken? Kan ik mezelf lang genoeg blijven overtuigen? Ik moet hier weg verdorie! Mijn koffer raakt steeds voller. Mijn leven hier steeds leger. Ik klap hem dicht, loop naar beneden, en bel Melissa om te zeggen dat ik over enkele minuten vertrek. Ze zal op me wachten aan het station van Leuven.

Roel komt intussen de trap afgesukkeld. 'Ik heb nooit zoveel van een vrouw gehouden. We gaan allebei in therapie. We maken er wat van. Het spijt me, voor alles. Vergeet alsjeblieft onze blije momenten niet. Onze passionele vrijpartijen, ze komen terug als je bij me blijft! Geloof me! Vergeet niet hoe ik er al die tijd, toen ik nog geen stress had, voor jou ben geweest. Ik heb je tranen weggeveegd. Ik heb je weer in het leven doen geloven. Weet je nog, toen je je armen stevig om mijn middel hield op de fiets en je je ogen sloot met je haar in de wind. Vergeet niets van dit alles, lief hummeltje van me!'

'Roel! Laat me los. Ik ben een volwassen vrouw! Ik heb over tien minuten mijn trein. Ik moet gaan.' De robot in mij neemt het van me over.

'Geen medelijden,' herhaalt mijn verborgen ik steeds weer. Hij moet vanaf nu zijn restaurant zelf maar redden. Ik moet nu doorbijten.

'Heb je geld? Waar ga je naartoe?' vraagt hij.

'Ik heb zes euro. Genoeg voor een enkele reis.'

'Hier heb je geld.' Hij steekt me een briefje van twintig euro in de handen. Dit is dus mijn 'overlevingsloon'. Meer kon hij me niet geven. Moet ik hiervan leven? Ik voel me beschaamd. Ik moet zo snel mogelijk een job vinden. In de horeca, de verkoop, maakt niks uit. Ik wil Melissa vergoeden voor mijn kost en inwoon. De tijd tikt. Over drie minuten heb ik de trein een beetje verderop.

Ik moet me haasten. Houdt hij me aan de praat om de tijd te rekken? De koffer weegt zwaar in mijn linkerhand. Ik open de achterdeur en loop vastberaden het kiezelpad af. Welgeteld één minuut later sta ik op het perron. Roel rent achter me aan, op zijn pantoffels. Ik zie iedereen kijken. Ze lachen achter hun handen.

'Berlinda, vertrek niet! Als je nu bij me blijft, wil ik zelfs met je trouwen.'

Zelfs, denk ik bij mezelf.

Hij trekt me in zijn armen.

'Laat me los!'

De menigte staart ons met grote ogen aan. Ik zie de reizigers op het perron fluisteren. Roel lijkt van zichzelf te denken dat hij de 'held' is. Tot mijn grote opluchting hoor ik de trein in de verte.

Mijn toekomst.

'Roel, laat me los.'

'Alsjeblieft, zeg me dat het tijdelijk is!'

De trein komt dichterbij. De deuren klappen met een kordaat geluid open. Ik neem mijn koffer terug vast. Ik voel nu pas de kneuzing in handen, benen, hoofd. En hart. Ik stap op.

Kijk nog een keer achterom. Roel huilt. Zit op zijn knieën op het asfaltpad van het perron. Waarom? Zou hij echt van me houden? Ik ga zitten waar ik hem niet meer zie. En toch. Toch draai ik me nog één keer om. Ik zie zijn lippen. Hij roept mijn naam.

De trein rijdt verder. Zijn leven uit. Op weg naar Melissa.

Een uur later arriveer ik in het station van Leuven. Ik loop met mijn koffer de gang van het station door. Gehaaste mensen. Lachende gezichten. Koppels, stevig hand in hand. Ik aanschouw ze allemaal. Even later zie ik Melissa met haar opvallende blonde haar, groots en fijn. Mijn koffer weegt plots minder veel.

Ik ren op haar af. Ze reikt haar armen naar me uit. We huilen samen. Ze wiegt me zachtjes heen en weer in haar armen. Ze neemt de koffer van me over en loopt voor me naar haar grijze auto. 'Ik ben trots op je meisje. Dit had je zoveel eerder moeten doen. Maar niemand drong tot je door. Ook mama niet toen ze je belde. Maar nu is de tijd rijp. Je hebt het gedaan, meisje!'

Opnieuw gaat mijn telefoon. Roel. Ik weiger op te nemen. Ik weiger nog een keer te breken. Hij zal barsten! We zeggen niets. Ik huil. Haast onhoorbaar. We stoppen bij een oud cafeetje. Ik eet een croque monsieur. Pas nu voel ik de honger door mijn lichaam heen razen. Buiten is het nog steeds erg warm, al is het september.

Bij Melissa thuis is het knus. De houten vloer. De grote chocoladekleurige labrador die me nieuwsgierig opneemt. Haar moeder, Nicole, is klein en warm, altijd geweest. Tijdens mijn warme omhelzing met haar, word ik teruggerukt naar mijn kinderjaren. Toen mijn vader nog bevriend was met de vader van Melissa. Door mijn verdwaasde betraande ogen zie ik de tuin voor me, waarin Melissa en ik ooit verstoppertje speelden. Ik verstopte me achter de grote lindeboom, achter de gesnoeide struiken, in het tuinhuis... Haar moeder laat me los, veegt haar tranen met haar handrug in een ongeziene beweging weg. 'Je papa zou trots op je zijn geweest. Moedig van je.' Haar herinnering aan mijn vader doet me lachen door mijn tranen heen.

Nicole schuift een van de massief houten stoelen van onder de keukentafel uit en zet vervolgens een bord voor me neer. Pas nu ruik ik het aroma van vers gebakken brood. Ik snuif het op. Mijn hart bedaart heel even wanneer ik eet en Melissa's arm om me heen voel. Ik krijg een eigen kamer, de grote zolderkamer.

De authentieke balken in de schuine muur geven me een veilig gevoel. Ik zet mijn koffer weer neer, en begin langzaam de lege kleerkast in te laden.

Tien over elf in de avond. Ik woel en keer. Elke houding doet pijn. Indra, de kleine Britse korthaar, springt op het immense tweepersoonsbed. Terwijl ik op mijn zij rol, kruipt zij in mijn schoot. Ik kan het niet laten om mijn telefoon te checken. Een-entwintig gemiste oproepen. Ik wil hem niet missen, maar ik denk dat ik dat doe want ik stuur terug: 'Ik moest dit doen. Het ging niet meer. Vaarwel, mijn eerste lief. All the best. Berlinda.'

Ik weet niet of ik hem mis. Ik weet niet hoe het nu moet gaan en word plots hevig bang voor wat ik niet ken. Ik ben mijn pillen vergeten, maar de warme kop thee die Nicole me gegeven heeft, wiegt me in rust, een soort spontane slaap die ik lang niet meer heb gekend. Ik aanschouw, ongewild, in gedachten mijn hele verleden. De enige die ik werkelijk nog mis is Ranjan, mijn steun en toeverlaat.

Ik moet in slaap gevallen zijn. De wekker herinnert me aan veel. Tien uur in de ochtend.

Ik hoor in de zaak te staan. Ik denk aan Roel die er alleen voor staat. Mijn geweten speelt op. Ik ruik verse koffie. De dampende kop van Melissa. Ze zit langs me op bed. Ik weet dat ik een nieuw leven zal beginnen na een tussenlanding bij haar.

Ik praat, gooi er met gejaagde stem alles uit. En Melissa luistert, onvoorwaardelijk en met het grootste engelengeduld. Ze begrijpt me, want ze heeft de liefde ooit net zoals ik beleefd.

Na ongeveer anderhalf uur stapt ze de kamer uit. De cliënten roepen. Als fysiotherapeute moet ze er voor iedereen zijn. Mijn telefoon rinkelt haast onophoudelijk, alsof Roel niets meer te runnen heeft. Ik wil hem niet horen. Helemaal niets voelen! Ik wil genezen.

Ik concentreer me op me op het herwerken van mijn cv en het solliciteren. Het enige waar ik tot vervelens toe aan herinnerd word, is de verhuis. Mijn boeken, de boeken van papa, mijn foto's... De herinneringen, ik moet ze nog halen. Eén kleine bestelwagen zal genoeg zijn om mijn hele materiële leven op te halen. Niet half voldoende om mijn herinneringen te dragen.

Winter 2006

De weken gaan voorbij. Ik kan de verhuizing niet voor me uit blijven schuiven. Paul, de vader van Melissa en dus de kameraad van mijn vader, vat de koe bij de horens. Hij heeft een kleine verhuiswagen voor me gehuurd. Samen met Nicole, Paul en Melissa rijd ik naar Antwerpen. Het verkeer ontgaat me. De rit lijkt uren te duren.

'Haute Cuisine.' Ik kan de letters en de kleuren niet meer verdragen. De omgeving nog veel minder. We staan zoals afgesproken voor de deur van het restaurant. Mijn ogen registreren de glazen voordeur die volledig is afgedekt met verfomfaaide bamboegordijnen. Ik zie een scheefhangend bord met blauwe letters: 'Gesloten wegens persoonlijke omstandigheden.' De zon schijnt op de vuile ramen. Zijn acties kunnen geen enkele schaamte verbergen.

Als Paul aanbelt, blijf ik in de wagen zitten. Ik zie Roel terug, gebroken, vermagerd. De vaalheid van zijn huid is ontstellend. Hij kijkt me aan met een verloren blik. Ik sla mijn ogen neer en stap uit. Kiezelstenen knisperen onder mijn voetzolen. Dat rotte geluid. Het lijkt wel alsof een 'ander ik' het van me heeft overgenomen, de koelbloedige vrouw die ik nooit eerder ben geweest. Ik kijk verbouwereerd om me heen. De hele restaurantruimte is bezaaid met donkergrijze vuilniszakken, dichtgeplakt met dikke beige tape.

Melissa en ik wisselen een blik van onbegrip.

'Ik heb je spullen voor je klaargezet. Ik wil niet dat onbekenden mijn appartement betreden,' hoor ik de vervreemde stem zeggen.

Ik antwoord niet, want ik heb geen zin meer in oeverloze machtspraatjes. Ik stap naar de vuilniszakken toe.

'Ze zijn van jou.'

Alsof ik dat nog niet had begrepen.

Ik maak de tape van de eerste zak los. Kleding. Lievelingsboeken van mijn vader. Achteloos en haastig op elkaar gegooid. In de tweede zak zitten nog boeken en wat kleding. Naast me zie ik een doos. Ook daar haal ik de tape van af. Mijn foto's, opgefrommeld als oud papier. Ik wil de rest van de zakken niet meer openen en haal samen met Paul en Melissa de chaotische ruimte leeg.

Roel komt weer voor me staan. Ik tril. Melissa en haar vader staan de vrachtauto in te laden, terwijl ik mijn stereoketen sta los te koppelen. Die is hij 'vergeten'.

'Laat staan! Als je dit weghaalt neem je me mijn werkmogelijkheden met je mee. Dan ben ik gehavend voor de rest van mijn leven. De klanten willen sfeermuziek.' Hij jammert het even radeloos uit als toen ik vertrok.

Wat mist hij eigenlijk?

'Je hebt nog een stereo boven staan. Deze is van mij,' herinner ik hem er koel aan.

'Laat het tenminste toch nog even staan, totdat ik geld heb om een fatsoenlijke te kopen.'

'Roel. Ik laat hier niets meer staan. Ik ben niet van plan nog ooit terug te komen.' Ik ga door met het loskoppelen.

Weer die immense hand op mijn schouder.

'Raak me niet meer aan, Roel!'

Paul haalt de hand met een kordate beweging weg en draagt de stereo naar buiten. God, wat ben ik hem dankbaar! Mijn hart balanceert tussen sarcasme en verdriet. Een haast ondraaglijk gevoel. Ik stap de achterdeur uit. De laatste keer? De klik die ik zo vaak heb gehoord, doet me rillen. Ik stap in de vertrekkensklare vrachtwagen. De ongeduldig draaiende motor klinkt schel in mijn oren. Roel blijft in de deuropening staan. Hij huilt. Net als ik. Mijn eerste liefde verdwijnt, wordt langzaam maar zeker kleiner.

Ik bedank de verte en zoveel meer.

Nawoord

Ik ril. Heb het niet koud. Het verhaal van mijn zusje zindert na in elke vezel van mijn lichaam, alsof ik voel dat ze echt bij me hoort. Zou ze dit hebben beleefd? Waarom heb ik dan zoveel geluk gekregen met mijn adoptieouders? Ik veeg mijn tranen af aan de mouw van mijn dikke gebreide trui en loop aarzelend naar mijn pc. Ik zal haar nu toch maar een mailtje sturen.

Maar wat moet ik in godsnaam schrijven? Kan ik zomaar beginnen over mijn ontdekking in Panaji? Begin ik over haar boek? Mijn vingers trillen op het klavier. Ik zal haar schrijven! Wat precies weet ik nog niet…